COIN *World*

LEDGER OF US COINS

Compiled and edited by
the Staff of Coin World

Second Edition

Copyright © 1994 Amos Press Inc.
Sidney, Ohio 45365

ISBN: 0-944945-16-3

Published by Amos Press Inc., PO Box 150, Sidney, Ohio 45365. Publishers of Coin World, the leading weekly publication for coin collectors; Linn's Stamp News; Cars & Parts; the Scott Publishing line of philatelic catalogs and albums; and Moneycard Collector, for collectors of telephone cards and other prepaid and debit cards.

The Ledger of United States Coins is available at special quantity discounts for bulk purchases. For more information, write Coin World Books, PO Box 150, Sidney, Ohio 45365; or call 513-498-0800.

S0-AKS-522

Using the Ledger

The *Ledger of U.S. Coins* is designed for use as a keeper of records about coin collections featuring United States coins by date and Mint. It is designed to fit into most bank safe-deposit boxes, and yet be large enough to record complete information.

The listings are organized by denomination and type. Each date and Mint mark of U.S. coin is listed, and major varieties are included. Mintage figures are from a number of official and unofficial sources. They may differ in several cases from mintages listed elsewhere. In most cases, mintages are the best estimate of pieces actually produced and released into circulation. No attempt was made to estimate the survival rate, or current rarity, of the coins. Mintages are separated by Uncirculated or business strike, and Proof. Proof is a special method of manufacture, usually for sale directly to collectors. Where an (R) appears in the mintage column, a significant number of the pieces are restrikes, pieces made from authentic dies, but at a later date. Where an (R) follows a number, the number represents the original mintage. In some cases it is impossible to distinguish how many of each variety of a date/Mint combination were struck. When a variety follows another of the same date/Mint, and no mintage number is shown, it can be assumed that the number is included in the mintage figure preceding. When a figure is given for business strikes but not for Proofs, it can be assumed that no Proofs of that date/Mint were issued. Likewise, if a Proof mintage figure is given, but no business strikes, then it can be assumed that no business strikes of that date/Mint combination were issued, as in the recent Proof-only issues of the San Francisco Mint.

Currently circulating coins are extended through the year 2000. However, this is purely speculative; coins in those denominations may or may not be produced in any of the various Mints. Furthermore, the Mint in recent years has been offering more types of Proof sets. These have been extended as well, but some may disappear from the Mint's offerings, or others may be added in the future.

Commemorative coins are listed chronologically. Because of the increasingly rapid rate of issuance of modern commems, we include a full page of blank lines for you to fill in as you see fit.

Many changes have been made in this edition of the Ledger. Many of those changes are direct results of comments from users of the previous edition. We welcome your comments and suggestions. Write to the address on the title page.

Contents

Half cent

Liberty Cap, Left

	Business	Proof	Grade	Date purchased	Amount paid	Notes
1793 (P)	35,334					

Liberty Cap, Right

	Business	Proof	Grade	Date purchased	Amount paid	Notes
1794 (P)	81,600					
1795 (P)	139,690					
1796 (P) With Pole	1,390					
1796 (P) No Pole						
1797 (P) Plain Edge	127,840					
1797 (P) Lettered Edge						
1797 (P) Gripped Edge						

Draped Bust

	Business	Proof	Grade	Date purchased	Amount paid	Notes
1800 (P)	202,908					
1802/0 (P)	20,266					
1802/0 (P) Reverse of 1800						
1803 (P)	92,000					
1804 (P)	1,055,312					
1804 (P) Spiked Chin						
1805 (P)	814,464					
1805 (P) Small 5, Stems						
1806 (P)	356,000					
1806 (P) Small 6, Stems						
1807 (P)	476,000					
1808 (P)	400,000					
1808/7 (P)						

Classic Head

	Business	Proof	Grade	Date purchased	Amount paid	Notes
1809 (P)	1,154,572					
1809/6 (P)						
1810 (P)	215,000					
1811 (P)	63,140					
1825 (P)	63,000	*				
1826 (P)	234,000	*				
1828 (P) 12 Stars	606,000	*				

	Business	Proof	Grade	Date purchased	Amount paid	Notes
1828 (P) 13 Stars		*				
1829 (P)	487,000	*				
1831 (P)	2,200	(R)				
1832 (P)	154,000	*				
1833 (P)	120,000	*				
1834 (P)	141,000	*				
1835 (P)	398,000	*				
1836 (P)		(R)				

Coronet

	Business	Proof	Grade	Date purchased	Amount paid	Notes
1840 (P)		(R)				
1841 (P)		(R)				
1842 (P)		(R)				
1843 (P)		(R)				
1844 (P)		(R)				
1845 (P)		(R)				
1846 (P)		(R)				
1847 (P)		(R)				
1848 (P)		(R)				
1849 (P) Large Date	43,364	(R)				
1850 (P)	39,812	*				
1851 (P)	147,672	*				
1852 (P)		(R)				
1853 (P)	129,694					
1854 (P)	55,358	*				
1855 (P)	56,500	*				
1856 (P)	40,430	(R)				
1857 (P)	35,180	(R)				

Cent

Flowing Hair, Chain

	Business	Proof	Grade	Date purchased	Amount paid	Notes
1793 (P) AMERICA	36,103					
1793 (P) AMERI						

Flowing Hair, Wreath

	Business	Proof	Grade	Date purchased	Amount paid	Notes
1793 (P)	63,353					
1793 (P) Lettered Edge						
1793 (P) Strawberry Leaf						

Liberty Cap

	Business	Proof	Grade	Date purchased	Amount paid	Notes
1793 (P)	11,056					
1794 (P) Head of 1793	918,521					
1794 (P)						
1794 (P) Starred Reverse						
1795 (P) Plain Edge	538,500					
1795 (P) Lettered Edge						
1795 (P) Jefferson Head, Plain Edge						
1796 (P)	109,825					

Draped Bust

	Business	Proof	Grade	Date purchased	Amount paid	Notes
1796 (P) Reverse of 1794	363,375					
1796 (P) Reverse of 1796						
1796 (P) Reverse of 1797						
1796 (P) LIHERTY						
1797 (P) Reverse of 1797, Stems	897,510					
1797 (P) Gripped Edge of 1796						
1797 (P) Plain Edge of 1796						
1797 (P) Reverse of 1797, Stemless						

	Business	Proof	Grade	Date purchased	Amount paid	Notes
1798 (P) 1st Hair Style	1,841,745					
1798 (P) 2nd Hair Style						
1798 (P) Reverse of 1796						
1798/7 (P) 1st Hair Style						
1799 (P)	42,540					
1799/8 (P)						
1800 (P) Normal Date	2,822,175					
1800 (P) /1798 1st Hair Style						
1800 (P) 80/79 2nd Hair Style						
1801 (P)	1,362,837					
1801 (P) 3 Errors						
1801 (P) 1/000						
1801 (P) 1/100 over 1/000						
1802 (P)	3,435,100					
1802 (P) Stemless						
1802 (P) 1/000						
1803 (P)	3,131,691					
1803 (P) Large Date, Small Fraction						
1803 (P) Large Date, Large Fraction						
1803 (P) Stemless						
1803 (P) 1/100 over 1/000						
1804 (P)	96,500					
1805 (P)	941,116					
1806 (P)	348,000					
1807 (P) Large Fraction	829,221					
1807 (P) Small Fraction						
1807 (P) /6 Large 7						
1807 (P) /6 Small 7						

Classic Head

	Business	Proof	Grade	Date purchased	Amount paid	Notes
1808 (P)	1,007,000					
1809 (P)	222,867					
1810 (P)	1,458,500					
1810 (P) 10/09						
1811 (P)	218,025					
1811 (P) /0						
1812 (P)	1,075,500					
1813 (P)	418,000					
1814 (P)	357,830					

Coronet

	Business	Proof	Grade	Date purchased	Amount paid	Notes
1816 (P)	2,820,982					
1817 (P) 13 Stars	3,948,400	*				
1817 (P) 15 Stars		*				
1818 (P)	3,167,000	*				
1819 (P)	2,671,000	*				
1819 (P) /8		*				
1820 (P)	4,407,550	*				
1820 (P) /19		*				

	Business	Proof	Grade	Date purchased	Amount paid	Notes
1821 (P)	389,000	*				
1822 (P)	2,072,339	*				
1823 (P)	68,061	*				
1823 (P) /2		*				
1824 (P)	1,193,939					
1824 (P) /2						
1825 (P)	1,461,100	*				
1826 (P)	1,517,425	*				
1826 (P) /5		*				
1827 (P)	2,357,732	*				
1828 (P) Large Date	2,260,624	*				
1828 (P) Small Date		*				
1829 (P) Large Letters	1,414,500	*				
1829 (P) Medium Letters		*				
1830 (P) Large Letters	1,711,500	*				
1830 (P) Medium Letters		*				
1831 (P)	3,539,260	*				
1832 (P)	2,362,000	*				
1833 (P)	2,739,000	*				
1834 (P)	1,855,100	*				
1834 (P) Large 8, Stars, Reverse Letters		*				
1834 (P) Large 8, Stars, Medium Letters		*				
1835 (P)	3,878,400	*				
1835 (P) Type of 1836		*				
1836 (P)	2,111,000	*				
1837 (P)	5,558,300	*				
1838 (P)	6,370,200	*				
1839 (P) Head of 1838	3,128,661	*				
1839 (P) /6		*				
1839 (P) Silly Head		*				
1839 (P) Booby Head		*				
1839 (P)		*				
1840 (P)	2,462,700	*				
1840 (P) Small Date, Large 18		*				
1841 (P) Small Date	1,597,367	*				
1842 (P)	2,383,390	*				
1843 (P) Petite Small Letters	2,425,342	*				
1843 (P) Mature Small Letters		*				
1843 (P) Petite Large Letters		*				
1844 (P)	2,398,752	*				
1844 (P) /81		*				
1845 (P)	3,894,804	*				
1846 (P)	4,120,800	*				
1846 (P) Small Date		*				
1847 (P)	6,183,669	*				
1847 (P) 7/Small 7		*				
1848 (P)	6,415,799	*				
1849 (P)	4,178,500	*				
1850 (P)	4,426,844	*				

	Business	Proof	Grade	Date purchased	Amount paid	Notes
1851 (P)	9,889,707					
1851 (P) /81						
1852 (P)	5,063,094	*				
1853 (P)	6,641,131					
1854 (P)	4,236,156	*				
1855 (P)	1,574,829	*				
1855 (P) Slant 5, Knob		*				
1856 (P)	2,690,463	*				
1857 (P) Small Date	333,456	*				
1857 (P) Large Date		*				

Flying Eagle

	Business	Proof	Grade	Date purchased	Amount paid	Notes
1857 (P)	17,450,000	*				
1858 (P) Large Letters	24,600,000	*				
1858 (P) Small Letters		*				
1858 (P) /7		*				

Indian Head

	Business	Proof	Grade	Date purchased	Amount paid	Notes
1859 (P)	36,400,000	*				
1860 (P) Shield Added	20,566,000	1,000				
1861 (P)	10,100,000	1,000				
1862 (P)	28,075,000	550				
1863 (P)	49,840,000	460				
1864 (P) Bronze, Initial L	39,233,714					
1864 (P) Copper-nickel	13,740,000	470				
1864 (P) Bronze, No L						
1865 (P)	35,429,286	500				
1866 (P)	9,826,500	725				
1867 (P)	9,821,000	625				
1868 (P)	10,266,500	600				
1869 (P)	6,420,000	600				
1870 (P)	5,275,000	1,000				
1871 (P)	3,929,500	960				
1872 (P)	4,042,000	950				
1873 (P) Closed 3	11,676,500	1,100				
1873 (P) Doubled LIBERTY						
1873 (P) Open 3						
1874 (P)	14,187,500	700				
1875 (P)	13,528,000	700				
1876 (P)	7,944,000	1,150				
1877 (P)	852,500	510				
1878 (P)	5,797,500	2,350				
1879 (P)	16,228,000	3,200				
1880 (P)	38,961,000	3,955				
1881 (P)	39,208,000	3,575				
1882 (P)	38,578,000	3,100				
1883 (P)	45,591,500	6,609				
1884 (P)	23,257,800	3,942				
1885 (P)	11,761,594	3,790				
1886 (P) Feather between I and C	17,650,000	4,290				
1886 (P) Feather between C and A						
1887 (P)	45,223,523	2,960				
1888 (P)	37,489,832	4,582				
1888 (P) /7						
1889 (P)	48,866,025	3,336				

	Business	Proof	Grade	Date purchased	Amount paid	Notes
1890 (P)		2,740				
1891 (P)		2,350				
1892 (P)	37,647,087	2,745				
1893 (P)	46,640,000	2,195				
1894 (P)	16,749,500	2,632				
1895 (P)	38,341,574	2,062				
1896 (P)	39,055,431	1,862				
1897 (P)	50,464,392	1,938				
1898 (P)	49,821,284	1,795				
1899 (P)	53,598,000	2,031				
1900 (P)	66,821,284	2,262				
1901 (P)	79,609,158	1,985				
1902 (P)	87,374,704	2,018				
1903 (P)	85,092,703	1,790				
1904 (P)	61,326,198	1,817				
1905 (P)	80,717,011	2,152				
1906 (P)	96,020,530	1,725				
1907 (P)	108,137,143	1,475				
1908 (P)	32,326,367	1,620				
1908 S	1,115,000					
1909 (P)	14,368,470	2,175				
1909 S	309,000					

Lincoln, Wheat Ears

	Business	Proof	Grade	Date purchased	Amount paid	Notes
1909 (P) Without VDB	72,700,420	2,198				
1909 (P) With VDB	27,994,580	420				
1909 S With VDB	484,000					
1909 S Without VDB	1,825,000					
1910 (P)	146,798,813	2,405				
1910 S	6,045,000					
1911 (P)	101,176,054	1,733				
1911 D	12,672,000					
1911 S	4,026,000					
1912 (P)	68,150,915	2,145				
1912 D	10,411,000					
1912 S	4,431,000					

	Business	Proof	Grade	Date purchased	Amount paid	Notes
1913 (P)	76,529,504	2,848				
1913 D	15,804,000					
1913 S	6,101,000					
1914 (P)	75,237,067	1,365				
1914 D	1,193,000					
1914 S	4,137,000					
1915 (P)	29,090,970	1,150				
1915 D	22,050,000					
1915 S	4,833,000					
1916 (P)	131,832,627	1,050				
1916 D	35,956,000					
1916 S	22,510,000					
1917 (P)	196,429,785	*				
1917 D	55,120,000					
1917 S	32,620,000					
1918 (P)	288,104,634					
1918 D	47,830,000					
1918 S	34,680,000					
1919 (P)	392,021,000					
1919 D	57,154,000					
1919 S.	139,760,000					
1920 (P)	310,165,000					
1920 D	49,280,000					
1920 S	46,220,000					
1921 (P)	39,157,000					
1921 S	15,274,000					
1922 D	7,160,000					
1922 (D) Missing D						
1923 (P)	74,723,000					
1923 S	8,700,000					
1924 (P)	75,178,000					
1924 D	2,520,000					
1924 S	11,696,000					
1925 (P)	139,949,000					
1925 D	22,580,000					
1925 S	26,380,000					
1926 (P)	157,088,000					
1926 D	28,020,000					
1926 S	4,550,000					
1927 (P)	144,440,000					
1927 D	27,170,000					
1927 S	14,276,000					
1928 (P)	134,116,000					
1928 D	31,170,000					
1928 S	17,266,000					
1929 (P)	185,262,000					
1929 D	41,730,000					
1929 S	50,148,000					
1930 (P)	157,415,000					

	Business	Proof	Grade	Date purchased	Amount paid	Notes
1930 D	40,100,000					
1930 S	24,286,000					
1931 (P)	19,396,000					
1931 D	4,480,000					
1931 S	866,000					
1932 (P)	9,062,000					
1932 D	10,500,000					
1933 (P)	14,360,000					
1933 D	6,200,000					
1934 (P)	219,080,000					
1934 D	28,446,000					
1935 (P)	245,388,000					
1935 D	47,000,000					
1935 S	38,702,000					
1936 (P)	309,632,000	5,569				
1936 D	40,620,000					
1936 S	29,130,000					
1937 (P)	309,170,000	9,320				
1937 D	50,430,000					
1937 S	34,500,000					
1938 (P)	156,682,000	14,734				
1938 D	20,010,000					
1938 S	15,180,000					
1939 (P)	316,466,000	13,520				
1939 D	15,160,000					
1939 S	52,070,000					
1940 (P)	586,810,000	15,872				
1940 D	81,390,000					
1940 S	112,940,000					
1941 (P)	887,018,000	21,100				
1941 D	128,700,000					
1941 S	92,360,000					
1942 (P)	657,796,000	32,600				
1942 D	206,698,000					
1942 S	85,590,000					
1943 (P)	684,628,670					
1943 D	217,660,000					
1943 S	191,550,000					
1944 (P)	1,435,400,000					
1944 D	430,578,000					
1944 D /S Variety 1						
1944 D /S Variety 2						
1944 S	282,760,000					
1945 (P)	1,040,515,000					
1945 D	226,268,000					
1945 S	181,770,000					
1946 (P)	991,655,000					
1946 D	315,690,000					
1946 S	198,100,000					

	Business	Proof	Grade	Date purchased	Amount paid	Notes
1947 (P)	190,555,000					
1947 D	194,750,000					
1947 S	99,000,000					
1948 (P)	317,570,000					
1948 D	172,637,500					
1948 S	81,735,000					
1949 (P)	217,775,000					
1949 D	153,132,500					
1949 S	64,290,000					
1950 (P)	272,635,000	51,386				
1950 D	334,950,000					
1950 S	118,505,000					
1951 (P)	294,576,000	57,500				
1951 D	625,355,000					
1951 S	136,010,000					
1952 (P)	186,765,000	81,980				
1952 D	746,130,000					
1952 S	137,800,004					
1953 (P)	256,755,000	128,800				
1953 D	700,515,000					
1953 S	181,835,000					
1954 (P)	71,640,050	233,300				
1954 D	251,552,500					
1954 S	96,190,000					
1955 (P)	330,580,000	378,200				
1955 (P) Doubled Die						
1955 D	563,257,500					
1955 S	44,610,000					
1956 (P)	420,745,000	669,384				
1956 D	1,098,210,100					
1957 (P)	282,540,000	1,247,952				
1957 D	1,051,342,000					
1958 (P)	252,525,000	875,652				
1958 D	800,953,300					

Lincoln, Memorial

	Business	Proof	Grade	Date purchased	Amount paid	Notes
1959 (P)	609,715,000	1,149,291				
1959 D	1,279,760,000					
1960 (P) Large Date	586,405,000	1,691,602				
1960 (P) Small Date						
1960 D Large Date	1,580,884,000					
1960 D Small Date						
1961 (P)	753,345,000	3,028,244				
1961 D	1,753,266,700					
1962 (P)	606,045,000	3,218,019				
1962 D	1,793,148,400					
1963 (P)	754,110,000	3,075,645				
1963 D	1,774,020,400					
1964 (P)	2,648,575,000	3,950,762				
1964 D	3,799,071,500					
1965 (P)	301,470,000					
1965 (D)	973,364,900					
1965 (S)	220,030,000					
1966 (P)	811,100,000					
1966 (D)	991,431,200					
1966 (S)	383,355,000					
1967 (P)	907,575,000					
1967 (D)	1,327,377,100					
1967 (S)	813,715,000					
1968 (P)	1,707,880,970					
1968 D	2,886,269,600					
1968 S	258,270,001	3,041,506				
1969 (P)	1,136,910,000					
1969 D	4,002,832,200					
1969 S	544,375,000	2,934,631				
1970 (P)	1,898,315,000					
1970 D	2,891,438,900					
1970 S Low 7	690,560,004	2,632,810				
1970 S Level 7						
1971 (P)	1,919,490,000					
1971 D	2,911,045,600					
1971 S	525,130,054	3,220,733				
1972 (P)	2,933,255,000					
1972 (P) Doubled Die						

	Business	Proof	Grade	Date purchased	Amount paid	Notes
1972 D	2,655,071,400					
1972 S	380,200,104	3,260,996				
1973 (P)	3,728,245,000					
1973 D	3,549,576,588					
1973 S	319,937,634	2,760,339				
1974 (P)	4,232,140,523					
1974 D	4,235,098,000					
1974 S	409,421,878	2,612,568				
1975 (P)	3,874,182,000					
1975 D	4,505,275,300					
1975 S		2,845,450				
1975 (W)	1,577,294,142					
1976 (P)	3,133,580,000					
1976 D	4,221,592,455					
1976 S						
1976 (W)	1,540,695,000					
1977 (P)	3,074,575,000					
1977 D	4,194,062,300					
1977 S		3,236,798				
1977 (W)	1,395,355,000					
1978 (P)	3,735,655,000					
1978 D	4,280,233,400					
1978 (S)	291,700,000					
1978 S		3,120,285				
1978 (W)	1,531,250,000					
1979 (P)	3,560,940,000					
1979 D	4,139,357,254					
1979 (S)	751,725,000					
1979 S Filled S		3,677,175				
1979 S Clear S						
1979 (W)	1,705,850,000					
1980 (P)	6,230,115,000					
1980 D	5,140,098,660					
1980 (S)	1,184,590,000					
1980 S		3,554,806				
1980 (W)	1,576,200,000					
1981 (P)	6,611,305,000					
1981 D	5,373,235,677					
1981 (S)	880,440,000					
1981 S		4,063,083				
1981 (W)	1,882,400,000					
1982 (P) Large Date brass	7,135,275,000					
1982 (P) Large Date zinc						
1982 (P) Small Date brass						
1982 (P) Small Date zinc						
1982 D Large Date brass	6,012,979,368					
1982 D Large Date zinc						

	Business	Proof	Grade	Date purchased	Amount paid	Notes
1982 D Small Date zinc						
1982 (S)	1,587,245,000					
1982 S		3,857,479				
1982 (W)	1,990,005,000					
1983 (P)	5,567,190,000					
1983 (P) Doubled Die						
1983 D	6,467,199,428					
1983 (S)	180,765,000					
1983 S		3,279,126				
1983 (W)	2,004,400,000					
1984 (P)	6,114,864,000					
1984 (P) Doubled Die						
1984 D	5,569,238,906					
1984 S		3,065,110				
1984 (W)	2,036,215,000					
1985 (P)	4,951,904,887					
1985 D	5,287,399,926					
1985 S		3,362,821				
1985 (W)	696,585,000					
1986 (P)	4,490,995,493					
1986 D	4,442,866,698					
1986 S		3,010,497				
1986 (W)	400,000					
1987 (P)	4,682,466,931					
1987 D	4,879,389,514					
1987 S		3,792,233				
1988 (P)	6,092,810,000					
1988 D	5,253,740,443					
1988 S		3,262,948				
1989 (P)	7,261,535,000					
1989 D	5,345,467,711					
1989 S		3,220,914				
1990 (P)	6,851,765,000					
1990 D	4,922,894,553					
1990 S		3,299,559				
1991 (P)	5,165,940,000					
1991 D	4,158,442,076					
1991 S		2,867,787				
1992 (P)	4,648,905,000					
1992 D	4,448,673,300					
1992 S		4,176,544				
1993 (P)	5,684,705,000					
1993 D	6,426,650,571					
1993 S						
1994 (P)						
1994 D						
1994 S						
1995 (P)						
1995 D						

	Business	Proof	Grade	Date purchased	Amount paid	Notes
1995 S						
1996 (P)						
1996 D						
1996 S						
1997 (P)						
1997 D						
1997 S						
1998 (P)						
1998 D						
1998 S						
1999 (P)						
1999 D						
1999 S						
2000 (P)						
2000 D						
2000 S						

Two cents

	Business	Proof	Grade	Date purchased	Amount paid	Notes
1864 (P) Small Motto	19,847,500	100				
1864 (P) Large Motto						
1865 (P)	13,640,000	500				
1866 (P)	3,177,000	725				
1867 (P)	2,938,750	625				
1868 (P)	2,803,750	600				
1869 (P)	1,546,500	600				
1870 (P)	861,250	1,000				
1871 (P)	721,250	960				
1872 (P)	65,000	950				
1873 (P) Closed 3		1,100				
1873 (P) Open 3 restrike						

Three cents

(copper-nickel)

	Business	Proof	Grade	Date purchased	Amount paid	Notes
1865 (P)	11,382,000	400				
1866 (P)	4,801,000	725				
1867 (P)	3,915,000	625				
1868 (P)	3,252,000	600				
1869 (P)	1,604,000	600				
1870 (P)	1,335,000	1,000				
1871 (P)	604,000	960				
1872 (P)	862,000	950				
1873 (P) Closed 3	1,173,000	1,100				
1873 (P) Open 3						
1874 (P)	790,000	700				
1875 (P)	228,000	700				
1876 (P)	162,000	1,150				
1877 (P)		510				
1878 (P)		2,350				
1879 (P)	38,000	3,200				
1880 (P)	21,000	3,955				
1881 (P)	1,077,000	3,575				
1882 (P)	22,200	3,100				
1883 (P)	4,000	6,609				
1884 (P)	1,700	3,942				
1885 (P)	1,000	3,790				
1886 (P)		4,290				
1887 (P)	5,001	2,960				
1887 (P) /6						
1888 (P)	36,501	4,582				
1889 (P)	18,125	3,336				

Five cents

Shield

	Business	Proof	Grade	Date purchased	Amount paid	Notes
1866 (P) Rays	14,742,500	125				
1867 (P) Rays	30,909,500	625				
1867 (P) No Rays						
1868 (P)	28,817,000	600				
1869 (P)	16,395,000	600				
1870 (P)	4,806,000	1,000				
1871 (P)	561,000	960				
1872 (P)	6,036,000	950				
1873 (P) Closed 3	4,550,000	1,100				
1873 (P) Open 3						
1874 (P)	3,538,000	700				
1875 (P)	2,097,000	700				
1876 (P)	2,530,000	1,150				
1877 (P)		510				
1878 (P)		2,350				
1879 (P)	25,900	3,200				
1880 (P)	16,000	3,955				
1881 (P)	68,800	3,575				
1882 (P)	11,473,500	3,100				
1883 (P)	1,451,500	5,419				
1883 (P) /2						

Liberty Head

	Business	Proof	Grade	Date purchased	Amount paid	Notes
1883 (P) No CENTS	5,474,300	5,219				
1883 (P) With CENTS	16,026,200	6,783				
1884 (P)	11,270,000	3,942				
1885 (P)	1,472,700	3,790				
1886 (P)	3,326,000	4,290				
1887 (P)	15,260,692	2,960				
1888 (P)	10,715,901	4,582				
1889 (P)	15,878,025	3,336				
1890 (P)	16,256,532	2,740				
1891 (P)	16,832,000	2,350				
1892 (P)	11,696,897	2,745				
1893 (P)	13,368,000	2,195				
1894 (P)	5,410,500	2,632				
1895 (P)	9,977,822	2,062				
1896 (P)	8,841,058	1,862				
1897 (P)	20,426,797	1,938				
1898 (P)	12,530,292	1,795				
1899 (P)	26,027,000	2,031				
1900 (P)	27,253,733	2,262				
1901 (P)	26,478,228	1,985				
1902 (P)	31,487,561	2,018				
1903 (P)	28,004,935	1,790				
1904 (P)	21,401,350	1,817				
1905 (P)	29,825,124	2,152				
1906 (P)	38,612,000	1,725				
1907 (P)	39,213,325	1,475				
1908 (P)	22,684,557	1,620				
1909 (P)	11,585,763	4,763				
1910 (P)	30,166,948	2,405				
1911 (P)	39,557,639	1,733				
1912 (P)	26,234,569	2,145				
1912 D	8,474,000					
1912 S	238,000					
1913 (P)						

Indian Head

	Business	Proof	Grade	Date purchased	Amount paid	Notes
1913 (P) Bison on Mound	30,992,000	1,520				
1913 (P) Bison on Plain	29,857,186	1,514				
1913 D Bison on Mound	5,337,000					
1913 D Bison on Plain	4,156,000					
1913 S Bison on Mound	2,105,000					
1913 S Bison on Plain	1,209,000					
1914 (P)	20,664,463	1,275				
1914 D	3,912,000					
1914 S	3,470,000					
1915 (P)	20,986,220	1,050				
1915 D	7,569,500					
1915 S	1,505,000					
1916 (P)	63,497,466	600				
1916 (P) Doubled Die						
1916 D	13,333,000					
1916 S	11,860,000					
1917 (P)	51,424,029	*				
1917 D	9,910,800					
1917 S	4,193,000					
1918 (P)	32,086,314					
1918 D	8,362,000					
1918 S	4,882,000					
1919 (P)	60,868,000					
1919 D	8,006,000					
1919 S	7,521,000					
1920 (P)	63,093,000					
1920 D	9,418,000					
1920 S	9,689,000					
1921 (P)	10,663,000					
1921 S	1,557,000					
1923 (P)	35,715,000					
1923 S	6,142,000					
1924 (P)	21,620,000					
1924 D	5,258,000					
1924 S	1,437,000					
1925 (P)	35,565,100					
1925 D	4,450,000					

	Business	Proof	Grade	Date purchased	Amount paid	Notes
1925 S	6,256,000					
1926 (P)	44,693,000					
1926 D	5,638,000					
1926 S	970,000					
1927 (P)	37,981,000					
1927 D	5,730,000					
1927 S	3,430,000					
1928 (P)	23,411,000					
1928 D	6,436,000					
1928 S	6,936,000					
1929 (P)	36,446,000					
1929 D	8,370,000					
1929 S	7,754,000					
1930 (P)	22,849,000					
1930 S	5,435,000					
1931 S	1,200,000					
1934 (P)	20,213,003					
1934 D	7,480,000					
1935 (P)	58,264,000					
1935 D	12,092,000					
1935 S	10,300,000					
1936 (P)	118,997,000	4,420				
1936 D	24,814,000					
1936 S	14,930,000					
1937 (P)	79,480,000	5,769				
1937 D	17,826,000					
1937 D 3 Legs						
1937 S	5,635,000					
1938 D	7,020,000					
1938 D /D						
1938 D /S						

Jefferson

	Business	Proof	Grade	Date purchased	Amount paid	Notes
1938 (P)	19,496,000	19,365				
1938 D	5,376,000					
1938 S	4,105,000					
1939 (P)	120,615,000	12,535				
1939 (P) Doubled Die						
1939 D	3,514,000					
1939 S	6,630,000					
1940 (P)	176,485,000	14,158				
1940 D	43,540,000					
1940 S	39,690,000					
1941 (P)	203,265,000	18,720				
1941 D	53,432,000					
1941 S	43,445,000					
1942 P Wartime alloy	57,873,000	27,600				
1942 (P)	49,789,000	29,600				
1942 D	13,938,000					
1942 S	32,900,000					
1943 P	271,165,000					
1943 P /2						
1943 P Doubled Eye						
1943 D	15,294,000					
1943 S	104,060,000					
1944 P	119,150,000					
1944 D	32,309,000					
1944 S	21,640,000					
1945 P	119,408,100					
1945 P Doubled Die						
1945 D	37,158,000					
1945 S	58,939,000					
1946 (P)	161,116,000					
1946 D	45,292,200					
1946 S	13,560,000					
1947 (P)	95,000,000					
1947 D	37,822,000					
1947 S	24,720,000					
1948 (P)	89,348,000					
1948 D	44,734,000					
1948 S	11,300,000					

	Business	Proof	Grade	Date purchased	Amount paid	Notes
1949 (P)	60,652,000					
1949 D	36,498,000					
1949 D /S						
1949 S	9,716,000					
1950 (P)	9,796,000	51,386				
1950 D	2,630,030					
1951 (P)	28,552,000	57,500				
1951 D	20,460,000					
1951 S	7,776,000					
1952 (P)	63,988,000	81,980				
1952 D	30,638,000					
1952 S	20,572,000					
1953 (P)	46,644,000	128,800				
1953 D	59,878,600					
1953 S	19,210,900					
1954 (P)	47,684,050	233,300				
1954 D	117,136,560					
1954 S	29,384,000					
1954 S /D						
1955 (P)	7,888,000	378,200				
1955 D	74,464,100					
1955 D /S Variety 1						
1956 (P)	35,216,000	669,384				
1956 D	67,222,640					
1957 (P)	38,408,000	1,247,952				
1957 D	136,828,900					
1958 (P)	17,088,000	875,652				
1958 D	168,249,120					
1959 (P)	27,248,000	1,149,291				
1959 D	160,738,240					
1960 (P)	55,416,000	1,691,602				
1960 D	192,582,180					
1961 (P)	73,640,000	3,028,244				
1961 D	229,342,760					
1962 (P)	97,384,000	3,218,019				
1962 D	280,195,720					
1963 (P)	175,776,000	3,075,645				
1963 D	276,829,460					
1964 (P)	1,024,672,000	3,950,762				
1964 D	1,787,297,160					
1965 (P)	12,440,000					
1965 (D)	82,291,380					
1965 (S)	39,040,000					
1966 (P)		*				
1966 (D)	103,546,700					
1966 (S)	50,400,000					
1967 (P)						
1967 (D)	75,993,800					
1967 (S)	31,332,000					

	Business	Proof	Grade	Date purchased	Amount paid	Notes
1968 (P)						
1968 D	91,227,880					
1968 S	100,396,004	3,041,506				
1969 (P)						
1969 D	202,807,500					
1969 S	120,165,000	2,934,631				
1970 D	515,485,380					
1970 S	238,832,004	2,632,810				
1971 (P)	106,884,000					
1971 D	316,144,800					
1971 S		3,220,733				
1972 (P)	202,036,000					
1972 D	351,694,600					
1972 S		3,260,996				
1973 (P)	384,396,000					
1973 D	261,405,400					
1973 S		2,760,339				
1974 (P)	601,752,000					
1974 D	277,373,000					
1974 S		2,612,568				
1975 (P)	181,772,000					
1975 D	401,875,300					
1975 S		2,845,450				
1976 (P)	367,124,000					
1976 D	563,964,147					
1976 S						
1977 (P)	585,376,000					
1977 D	297,313,422					
1977 S		3,236,798				
1978 (P)	391,308,000					
1978 D	313,092,780					
1978 S		3,120,285				
1979 (P)	463,188,000					
1979 D	325,867,672					
1979 S Filled S		3,677,175				
1979 S Clear S						
1980 P	593,004,000					
1980 D	502,323,448					
1980 S		3,554,806				
1981 P	657,504,000					
1981 D	364,801,843					
1981 S Filled S		4,063,083				
1981 S Clear S						
1982 P	292,355,000					
1982 D	373,726,544					
1982 S		3,857,479				
1983 P	561,615,000					
1983 D	536,726,276					
1983 S		3,279,126				

	Business	Proof	Grade	Date purchased	Amount paid	Notes
1984 P	746,769,000					
1984 D	517,675,146					
1984 S		3,065,110				
1985 P	647,114,962					
1985 D	459,747,446					
1985 S		3,362,821				
1986 P	536,883,493					
1986 D	361,819,144					
1986 S		3,010,497				
1987 P	371,499,481					
1987 D	410,590,604					
1987 S		3,792,233				
1988 P	771,360,000					
1988 D	663,771,652					
1988 S		3,262,948				
1989 P	898,812,000					
1989 D	570,842,474					
1989 S		3,220,914				
1990 (P)	661,636,000					
1990 D	663,938,503					
1990 S		3,299,559				
1991 (P)	614,104,000					
1991 D	436,496,678					
1991 S		2,867,787				
1992 (P)	399,552,000					
1992 D	450,565,113					
1992 S		4,176,544				
1993 (P)	412,076,000					
1993 D	406,084,135					
1993 S		U				
1994 (P)						
1994 D						
1994 S		U				
1995 (P)						
1995 D						
1995 S						
1996 (P)						
1996 D						
1996 S						
1997 (P)						
1997 D						
1997 S						
1998 (P)						
1998 D						
1998 S						
1999 (P)						
1999 D						
1999 S						
2000 (P)						

	Business	Proof	Grade	Date purchased	Amount paid	Notes
2000 D						
2000 S						

Three cents

(silver)

	Business	Proof	Grade	Date purchased	Amount paid	Notes
1851 (P) 1 Outline of Star	5,447,400	*				
1851 0	720,000	*				
1852 (P)	18,663,500					
1853 (P)	11,400,000					
1854 (P) 3 Outlines of Star	671,000	*				
1855 (P)	139,000	*				
1856 (P)	1,458,000	*				
1857 (P)	1,042,000	*				
1858 (P)	1,604,000	*				
1859 (P) 2 Outlines of Star	365,000	*				
1860 (P)	286,000	1,000				
1861 (P)	497,000	1,000				
1862 (P)	343,000	550				
1862 (P) /1						
1863 (P)	21,000	460				
1863 (P) /2						
1864 (P)	12,000	470				
1865 (P)	8,000	500				
1866 (P)	22,000	725				
1867 (P)	4,000	625				
1868 (P)	3,500	600				
1869 (P)	4,500	600				
1869 (P) /8						
1870 (P)	3,000	1,000				
1871 (P)	3,400	960				
1872 (P)	1,000	950				
1873 (P) Closed 3		600				

Half dime

Flowing Hair

	Business	Proof	Grade	Date purchased	Amount paid	Notes
1792 (P) HALF DISME						
1794 (P)	7,756					
1795 (P)	78,660					

Draped Bust, Small Eagle

	Business	Proof	Grade	Date purchased	Amount paid	Notes
1796 (P)	10,230					
1796 (P) /5						
1796 (P) LIKERTY						
1797 (P) 15 Stars	44,527					
1797 (P) 16 Stars						
1797 (P) 13 Stars						

Draped Bust, Heraldic Eagle

	Business	Proof	Grade	Date purchased	Amount paid	Notes
1800 (P) Heraldic Eagle	40,000					
1800 (P) LIBEKTY						
1801 (P)	33,910					
1802 (P)	13,010					
1803 (P)	37,850					
1805 (P)	15,600					

Capped Bust

	Business	Proof	Grade	Date purchased	Amount paid	Notes
1829 (P)	1,230,000	*				
1830 (P)	1,240,000	*				
1831 (P)	1,242,700	*				
1832 (P)	965,000	*				
1833 (P)	1,370,000	*				
1834 (P)	1,480,000	*				
1835 (P)	2,760,000	*				
1836 (P)	1,900,000	*				
1837 (P) Small 5c	871,000	*				
1837 (P) Large 5c		*				

Seated Liberty

	Business	Proof	Grade	Date purchased	Amount paid	Notes
1837 (P)	1,405,000					
1837 (P) Small Date						
1838 (P) Stars, No Drapery	2,255,000	*				
1838 (P) Small Stars		*				
1838 O No Stars	115,000					
1839 (P) No Drapery	1,069,150	*				
1839 O No Drapery	981,550					
1839 O Large O						
1840 (P) No Drapery	1,344,085	*				
1840 (P) Drapery		*				
1840 O No Drapery	935,000					
1840 O Drapery						
1841 (P)	1,150,000	*				
1841 O	815,000					
1842 (P)	815,000	*				
1842 O	350,000					
1843 (P)	1,165,000	*				
1844 (P)	430,000	*				
1844 O	220,000					
1845 (P)	1,564,000	*				
1846 (P)	27,000	*				
1847 (P)	1,274,000	*				
1848 (P)	668,000	*				
1848 (P) Large Date		*				
1848 O	600,000					
1849 (P)	1,309,000	*				
1849 O	140,000					
1850 (P)	955,000	*				
1850 O	690,000					
1851 (P)	781,000	*				
1851 O	860,000					
1852 (P)	1,000,500	*				
1852 O	260,000					
1853 (P) No Arrows	135,000					
1853 (P) Arrows	13,210,020	*				
1853 O Arrows	2,200,000					
1853 O No Arrows	160,000					
1854 (P) Arrows	5,740,000	*				
1854 O Arrows	1,560,000					

	Business	Proof	Grade	Date purchased	Amount paid	Notes
1855 (P) Arrows	1,750,000	*				
1855 O Arrows	600,000					
1856 (P) No Arrows	4,880,000	*				
1856 O No Arrows	1,100,000					
1857 (P)	7,280,000	*				
1857 O	1,380,000					
1858 (P)	3,500,000	*				
1858 (P) /Inverted Date		*				
1858 (P) /1858		*				
1858 O	1,660,000					
1859 (P)	340,000	*				
1859 O	560,000					
1860 (P) Obverse Legend	798,000	1,000				
1860 (P) Transitional						
1860 O	1,060,000	*				
1861 (P)	3,360,000	1,000				
1862 (P)	1,492,000	550				
1863 (P)	18,000	460				
1863 S	100,000					
1864 (P)	48,000	470				
1864 S	90,000					
1865 (P)	13,000	500				
1865 S	120,000					
1866 (P)	10,000	725				
1866 S	120,000					
1867 (P)	8,000	625				
1867 S	120,000					
1868 (P)	88,600	600				
1868 S	280,000					
1869 (P)	208,000	600				
1869 S	230,000					
1870 (P)	535,600	1,000				
1871 (P)	1,873,000	960				
1871 S	161,000					
1872 (P)	2,947,000	950				
1872 S S in Wreath	837,000					
1872 S S Below Wreath						
1873 (P)	712,000	600				
1873 S	324,000					

Dime

Draped Bust, Small Eagle

	Business	Proof	Grade	Date purchased	Amount paid	Notes
1796 (P)	22,135					
1797 (P) 16 Stars	25,261					
1797 (P) 13 Stars						

Draped Bust, Small Eagle

	Business	Proof	Grade	Date purchased	Amount paid	Notes
1798 (P)	27,550					
1798 (P) /97						
1798 (P) /97 13 Stars						
1798 (P) Small 8						
1800 (P)	21,760					
1801 (P)	34,640					
1802 (P)	10,975					
1803 (P)	33,040					
1804 (P)	8,265					
1805 (P)	120,780					
1805 (P) 5 Berries						
1807 (P)	165,000					

Capped Bust

	Business	Proof	Grade	Date purchased	Amount paid	Notes
1809 (P)	51,065					
1811/9 (P)	65,180					
1814 (P) Small Date	421,500					
1814 (P) Large Date						
1814 (P) STATESOFAMERICA						
1820 (P) Large 0	942,587	*				
1820 (P) Small 0		*				
1820 (P) STATESOFAMERICA		*				
1821 (P) Small Date	1,186,512	*				
1821 (P) Large Date		*				
1822 (P)	100,000	*				
1823/2 (P)	440,000	*				
1824/2 (P)	100,000	*				
1825 (P)	410,000	*				
1827 (P)	1,215,000	*				
1828 (P) Large Date	125,000	*				
1828 (P) Small Date		*				
1829 (P) Curl Base 2	770,000	*				
1829 (P) Small 10c		*				
1829 (P) Large 10c		*				
1830 (P)	510,000	*				
1830/29 (P)		*				
1831 (P)	771,350	*				
1832 (P)	522,500	*				
1833 (P)	485,000	*				
1834 (P)	635,000	*				
1835 (P)	1,410,000	*				
1836 (P)	1,190,000	*				
1837 (P)	359,500	*				

Seated Liberty

	Business	Proof	Grade	Date purchased	Amount paid	Notes
1837 (P) No Stars	682,500					
1838 (P) Small Stars	1,992,500	*				
1838 (P) Large Stars		*				
1838 (P) Partial Drapery		*				
1838 O No Stars	406,034					
1839 (P)	1,0,115	*				
1839 O Reverse of 1838	1,323,000					
1839 O						
1840 (P) No Drapery	1,358,580	*				
1840 (P) Drapery		*				
1840 O No Drapery	1,175,000					
1841 (P)	1,622,500	*				
1841 O	2,007,500					
1842 (P)	1,887,500	*				
1842 O	2,020,000					
1843 (P)	1,370,000	*				
1843 O	50,000					
1844 (P)	72,500	*				
1845 (P)	1,755,000	*				
1845 (P) /1845		*				
1845 O	230,000					
1846 (P)	31,300	*				
1847 (P)	245,000	*				
1848 (P)	451,500	*				
1849 (P)	839,000	*				
1849 O	300,000					
1850 (P)	1,931,500	*				
1850 O	510,000					
1851 (P)	1,026,500	*				
1851 O	400,000					
1852 (P)	1,535,500	*				
1852 O	430,000					
1853 (P) No Arrows	95,000					
1853 (P) With Arrows	12,078,010	*				
1853 O With Arrows	1,100,000					
1854 (P) With Arrows	4,470,000	*				
1854 O With Arrows	1,770,000					
1855 (P) With Arrows	2,075,000	*				
1856 (P) Small Date,						

	Business	Proof	Grade	Date purchased	Amount paid	Notes
No Arrows	5,780,000	*				
1856 (P) Large Date		*				
1856 S	70,000					
1856 O	1,180,000					
1857 (P)	5,580,000	*				
1857 O	1,540,000					
1858 (P)	1,540,000					
1858 S	60,000					
1858 O	290,000	*				
1859 (P)	430,000	*				
1859 S	60,000					
1859 O	480,000					
1860 (P) Obverse Legend	606,000	1,000				
1860 S	140,000					
1860 O	40,000					
1861 (P)	1,883,000	1,000				
1861 S	172,500					
1862 (P)	847,000	550				
1862 S	180,750					
1863 (P)	14,000	460				
1863 S	157,500					
1864 (P)	11,000	470				
1864 S	230,000					
1865 (P)	10,000	500				
1865 S	175,000					
1866 (P)	8,000	725				
1866 S	135,000					
1867 (P)	6,000	625				
1867 S	140,000					
1868 (P)	464,000	600				
1868 S	260,000					
1869 (P)	256,000	600				
1869 S	450,000					
1870 (P)	470,500	1,000				
1870 S	50,000					
1871 (P)	906,750	960				
1871 S	320,000					
1871 CC	20,100					
1872 (P)	2,395,500	950				
1872 S	190,000					
1872 CC	35,480					
1873 (P) Closed 3	2,377,700	800				
1873 (P) No Arrows	1,568,000	600				
1873 (P) Open 3		800				
1873 (P) Arrows		800				
1873 S With Arrows	455,000					
1873 CC With Arrows	18,791					
1873 CC No Arrows	12,400					
1874 (P) Arrows	2,940,000	700				

	Business	Proof	Grade	Date purchased	Amount paid	Notes
1874 S Arrows	240,000					
1874 CC Arrows	10,817					
1875 (P) No Arrows	10,350,000	700				
1875 S S Below Wreath	9,070,000					
1875 S S In Wreath						
1875 CC CC Below Wreath	4,645,000					
1875 CC CC In Wreath						
1876 (P)	11,460,000	1,150				
1876 S	10,420,000					
1876 CC	8,270,000					
1877 (P)	7,310,000	510				
1877 S	2,340,000					
1877 CC	7,700,000					
1878 (P)	1,678,000	800				
1878 CC	200,000					
1879 (P)	14,000	1,100				
1880 (P)	36,000	1,355				
1881 (P)	24,000	975				
1882 (P)	3,910,000	1,100				
1883 (P)	7,674,673	1,039				
1884 (P)	3,365,505	875				
1884 S	564,969					
1885 (P)	2,532,497	930				
1885 S	43,690					
1886 (P)	6,376,684	886				
1886 S	206,524					
1887 (P)	11,283,229	710				
1887 S	4,454,450					
1888 (P)	5,495,655	832				
1888 S	1,720,000					
1889 (P)	7,380,000	711				
1889 S	972,678					
1890 (P)	9,910,951	590				
1890 S	1,423,076					
1891 (P)	15,310,000	600				
1891 S	3,196,116					
1891 O	4,540,000					

Barber

	Business	Proof	Grade	Date purchased	Amount paid	Notes
1892 (P)	12,120,000	1,245				
1892 S	990,710					
1892 O	3,841,700					
1893 (P)	3,340,000	792				
1893 S	2,491,401					
1893 O	1,760,000					
1894 (P)	1,330,000	972				
1894 S						
1894 O	720,000					
1895 (P)	690,000	880				
1895 S	1,120,000					
1895 O	440,000					
1896 (P)	2,000,000	762				
1896 S	575,056					
1896 O	610,000					
1897 (P)	10,868,533	731				
1897 S	1,342,844					
1897 O	666,000					
1898 (P)	16,320,000	735				
1898 S	1,702,507					
1898 O	2,130,000					
1899 (P)	19,580,000	846				
1899 S	1,867,493					
1899 O	2,650,000					
1900 (P)	17,600,000	912				
1900 S	5,168,270					
1900 O	2,010,000					
1901 (P)	18,859,665	813				
1901 S	593,022					
1901 O	5,620,000					
1902 (P)	21,380,000	777				
1902 S	2,070,000					
1902 O	4,500,000					
1903 (P)	19,500,000	755				
1903 S	613,300					
1903 O	8,180,000					
1904 (P)	14,600,357	670				
1904 S	800,000					
1905 (P)	14,551,623	727				

	Business	Proof	Grade	Date purchased	Amount paid	Notes
1905 S	6,855,199					
1905 O	3,400,000					
1906 (P)	19,957,731	675				
1906 D	4,060,000	*				
1906 S	3,136,640					
1906 O	2,610,000					
1907 (P)	22,220,000	575				
1907 D	4,080,000					
1907 S	3,178,470					
1907 O	5,058,000					
1908 (P)	10,600,000	545				
1908 D	7,490,000					
1908 S	3,220,000					
1908 O	1,789,000					
1909 (P)	10,240,000	650				
1909 D	954,000					
1909 S	1,000,000					
1909 O	2,287,000					
1910 (P)	11,520,000	551				
1910 D	3,490,000					
1910 S	1,240,000					
1911 (P)	18,870,000	543				
1911 D	11,209,000					
1911 S	3,520,000					
1912 (P)	19,350,000	700				
1912 D	11,760,000					
1912 S	3,420,000					
1913 (P)	19,760,000	622				
1913 S	510,000					
1914 (P)	17,360,230					
1914 D	11,908,000	425				
1914 S	2,100,000					
1915 (P)	5,620,000	450				
1915 S	960,000					
1916 (P)	18,490,000	*				
1916 S	5,820,000					

Winged Liberty Head

	Business	Proof	Grade	Date purchased	Amount paid	Notes
1916 (P)	22,180,080					
1916 D	264,000					
1916 S	10,450,000					
1917 (P)	55,230,000					
1917 D	9,402,000					
1917 S	27,330,000					
1918 (P)	26,680,000					
1918 D	22,674,800					
1918 S	19,300,000					
1919 (P)	35,740,000					
1919 D	9,939,000					
1919 S	8,850,000					
1920 (P)	59,030,000					
1920 D	19,171,000					
1920 S	13,820,000					
1921 (P)	1,230,000					
1921 D	1,080,000					
1923 (P)	50,130,000					
1923 S	6,440,000					
1924 (P)	24,010,000					
1924 D	6,810,000					
1924 S	7,120,000					
1925 (P)	25,610,000					
1925 D	5,117,000					
1925 S	5,850,000					
1926 (P)	32,160,000					
1926 D	6,828,000					
1926 S	1,520,000					
1927 (P)	28,080,000					
1927 D	4,812,000					
1927 S	4,770,000					
1928 (P)	19,480,000					
1928 D	4,161,000					
1928 S	7,400,000					
1929 (P)	25,970,000					
1929 D	5,034,000					
1929 S	4,730,000					
1930 (P)	6,770,000					
1930 S	1,843,000					

	Business	Proof	Grade	Date purchased	Amount paid	Notes
1931 (P)	3,150,000					
1931 D	1,260,000					
1931 S	1,800,000					
1934 (P)	24,080,000					
1934 D	6,772,000					
1935 (P)	58,830,000					
1935 D	10,477,000					
1935 S	15,840,000					
1936 (P)	87,500,000	4,130				
1936 D	16,132,000					
1936 S	9,210,000					
1937 (P)	56,860,000	5,756				
1937 D	14,146,000					
1937 S	9,740,000					
1938 (P)	22,190,000	8,728				
1938 D	5,537,000					
1938 S	8,090,000					
1939 (P)	67,740,000	9,321				
1939 D	24,394,000					
1939 S	10,540,000					
1940 (P)	65,350,000	11,827				
1940 D	21,198,000					
1940 S	21,560,000					
1941 (P)	175,090,000	16,557				
1941 D	45,634,000					
1941 S	43,090,000					
1942 (P)	205,410,000	22,329				
1942 D	60,740,000					
1942 S	49,300,000					
1942/1 (P)						
1942/1 D						
1943 (P)	191,710,000					
1943 D	71,949,000					
1943 S	60,400,000					
1944 (P)	231,410,000					
1944 D	62,224,000					
1944 S	49,490,000					
1945 (P)	159,130,000					
1945 D	40,245,000					
1945 S	41,920,000					
1945 S Micro S						

Roosevelt

	Business	Proof	Grade	Date purchased	Amount paid	Notes
1946 (P)	255,250,000					
1946 D	61,043,500					
1946 S	27,900,000					
1947 (P)	121,520,000					
1947 D	46,835,000					
1947 S	34,840,000					
1948 (P)	74,950,000					
1948 D	52,841,000					
1948 S	35,520,000					
1949 (P)	30,940,000					
1949 D	26,034,000					
1949 S	13,510,000					
1950 (P)	50,130,114	51,386				
1950 D	46,803,000					
1950 S	20,440,000					
1951 (P)	102,880,102	57,500				
1951 D	56,529,000					
1951 S	31,630,000					
1952 (P)	99,040,093	81,980				
1952 D	122,100,000					
1952 S	44,419,500					
1953 (P)	53,490,120	128,800				
1953 D	136,433,000					
1953 S	39,180,000					
1954 (P)	114,010,203	233,300				
1954 D	106,397,000					
1954 S	22,860,000					
1955 (P)	12,450,181	378,200				
1955 D	13,959,000					
1955 S	18,510,000					
1956 (P)	108,640,000	669,384				
1956 D	108,015,100					
1957 (P)	160,160,000	1,247,952				
1957 D	113,354,330					
1958 (P)	31,910,000	875,652				
1958 D	136,564,600					
1959 (P)	85,780,000	1,149,291				
1959 D	164,919,790					
1960 (P)	70,390,000	1,691,602				

	Business	Proof	Grade	Date purchased	Amount paid	Notes
1960 D	200,160,400					
1961 (P)	93,730,000	3,028,244				
1961 D	209,146,550					
1962 (P)	72,450,000	3,218,019				
1962 D	334,948,380					
1963 (P)	123,650,000	3,075,645				
1963 D	421,476,530					
1964 (P)	929,360,000	3,950,762				
1964 D	1,357,517,180					
1965 (P)	845,130,000					
1965 (D)	757,472,820					
1965 (S)	47,177,750					
1966 (P)	622,550,000					
1966 (D)	683,771,010					
1966 (S)	74,151,947					
1967 (P)	1,030,110,000					
1967 (D)	1,156,277,320					
1967 (S)	57,620,000					
1968 (P)	424,470,400					
1968 D	480,748,280					
1968 S		3,041,506				
1969 (P)	145,790,000					
1969 D	563,323,870					
1969 S		2,934,631				
1970 (P)	345,570,000					
1970 D	754,942,100					
1970 S		2,632,810				
1971 (P)	162,690,000					
1971 D	377,914,240					
1971 S		3,220,733				
1972 (P)	431,540,000					
1972 D	330,290,000					
1972 S		3,260,996				
1973 (P)	315,670,000					
1973 D	455,032,426					
1973 S		2,760,339				
1974 (P)	470,248,000					
1974 D	571,083,000					
1974 S		2,612,568				
1975 (P)	513,682,000					
1975 D	313,705,300					
1975 (S)	71,991,900					
1976 (P)	568,760,000					
1976 D	695,222,774					
1976 S						
1977 (P)	796,930,000					
1977 D	376,607,228					
1977 S		3,236,798				
1978 (P)	663,980,000					

	Business	Proof	Grade	Date purchased	Amount paid	Notes
1978 D	282,847,540					
1978 S		3,120,285				
1979 (P)	315,440,000					
1979 D	390,921,184					
1979 S		3,677,175				
1980 P	735,170,000					
1980 D	719,354,321					
1980 S		3,554,806				
1981 P	676,650,000					
1981 D	712,284,143					
1981 S		4,063,083				
1982 P	519,475,000					
1982 (P) No Mintmark, Strong Strike						
1982 D	542,713,584					
1982 S		3,857,479				
1983 P	647,025,000					
1983 D	730,129,224					
1983 S		3,279,126				
1984 P	856,669,000					
1984 D	704,803,976					
1984 S		3,065,110				
1985 P	705,200,962					
1985 D	587,979,970					
1985 S		3,362,821				
1986 P	682,649,693					
1986 D	473,326,974					
1986 S		3,010,497				
1987 P	762,709,481					
1987 D	653,203,402					
1987 S		3,792,233				
1988 P	1,030,550,000					
1988 D	962,385,488					
1988 S		3,262,948				
1989 P	1,298,400,000					
1989 D	896,535,597					
1989 S		3,220,914				
1990 (P)	1,034,340,000					
1990 D	839,995,824					
1990 S		3,299,559				
1991 P	927,220,000					
1991 D	601,241,114					
1991 S		2,867,787				
1992 P	593,500,000					
1992 D	616,273,932					
1992 S clad		2,858,903				
1992 S 90% silver		1,317,641				
1993 P	766,180,000					
1993 D	750,110,166					
1993 S clad		U				

	Business	Proof	Grade	Date purchased	Amount paid	Notes
1993 S 90% silver		U				
1994 P						
1994 D						
1994 S clad		U				
1994 S 90% silver		U				
1995 (P)						
1995 D						
1995 S						
1996 (P)						
1996 D						
1996 S						
1997 (P)						
1997 D						
1997 S						
1998 (P)						
1998 D						
1998 S						
1999 (P)						
1999 D						
1999 S						
2000 (P)						
2000 D						
2000 S						

Twenty cents

	Business	Proof	Grade	Date purchased	Amount paid	Notes
1875 (P)	38,500	1,200				
1875 S	1,155,000	*				
1875 CC	133,290					
1876 (P)	14,750	1,150				
1876 CC	10,000					
1877 (P)		510				
1878 (P)		600				

Quarter dollar

Draped Bust, Small Eagle

	Business	Proof	Grade	Date purchased	Amount paid	Notes
1796 (P) Small Eagle	6,146					

Draped Bust, Heraldic Eagle

	Business	Proof	Grade	Date purchased	Amount paid	Notes
1804 (P) Heraldic Eagle	6,738					
1805 (P)	121,394					
1806 (P)	286,424					
1806/5 (P)						
1807 (P)	140,343					

Capped Bust

	Business	Proof	Grade	Date purchased	Amount paid	Notes
1815 (P)	89,235					
1818 (P)	361,174	*				
1818/5 (P)		*				
1819 (P)	144,000					
1820 (P) Small 0	127,444	*				
1820 (P) Large 0		*				
1821 (P)	216,851	*				
1822 (P)	64,080	*				
1822 (P) 25/50c		*				
1823/2 (P)	17,800	*				
1824/2 (P)	24,000	*				
1825 (P)	148,000	*				
1825/2 (P)		*				
1825/4 (P)		*				
1827 (P)		(R)				
1828 (P)	102,000	*				
1828 (P) 25/50c		*				
1831 (P) No Motto	398,000	*				
1832 (P)	320,000	*				
1833 (P)	156,000	*				
1834 (P)	286,000	*				
1835 (P)	1,952,000	*				
1836 (P)	472,000	*				
1837 (P)	252,400	*				
1838 (P)	366,000	*				

Seated Liberty

	Business	Proof	Grade	Date purchased	Amount paid	Notes
1838 (P) No Drapery	466,000					
1839 (P) No Drapery	491,146	*				
1840 (P) Drapery	188,127	*				
1840 O No Drapery	425,200					
1840 O Drapery						
1841 (P)	120,000	*				
1841 O	452,000					
1842 (P) Large Date	88,000	*				
1842 (P) Small Date, Proofs Only		*				
1842 O Large Date	769,000					
1842 O Small Date						
1843 (P)	645,600	*				
1843 O Small O	968,000					
1843 O Large O						
1844 (P)	421,200	*				
1844 O	740,000					
1845 (P)	922,000	*				
1845/5 (P)		*				
1846 (P)	510,000	*				
1846 (P) /1846		*				
1847 (P)	734,000	*				
1847 O	368,000					
1847/7 (P)		*				
1848 (P)	146,000	*				
1848 (P) /1848		*				
1849 (P)	340,000	*				
1849 O	16,000					
1850 (P)	190,800	*				
1850 O	396,000					
1851 (P)	160,000	*				
1851 O	88,000					
1852 (P)	177,060	*				
1852 O	96,000					
1853 (P) /53 Recut Date, No Arrows & Rays	44,200					
1853 (P) With Arrows & Rays	15,210,020	*				

	Business	Proof	Grade	Date purchased	Amount paid	Notes
1853 O Arrows & Rays	1,332,000					
1853/4 (P) With Arrows & Rays		*				
1854 (P) Arrows	12,380,000	*				
1854 O Arrows	1,484,000					
1854 O Huge O						
1855 (P) Arrows	2,857,000	*				
1855 S Arrows	396,400	*				
1855 O Arrows	176,000					
1856 (P) No Arrows	7,264,000	*				
1856 S	286,000					
1856 S/S						
1856 O	968,000					
1857 (P)	9,644,000	*				
1857 S	82,000					
1857 O	1,180,000					
1858 (P)	7,368,000	*				
1858 S	121,000					
1858 O	520,000					
1859 (P)	1,344,000	*				
1859 S	80,000					
1859 O	260,000					
1860 (P)	804,400	1,000				
1860 S	56,000					
1860 O	388,000					
1861 (P)	4,853,600	1,000				
1861 S	96,000					
1862 (P)	932,000	550				
1862 S	67,000					
1863 (P)	191,600	460				
1864 (P)	93,600	470				
1864 S	20,000					
1865 (P)	58,800	500				
1865 S	41,000					
1866 (P) Motto	16,800	725				
1866 S	28,000					
1867 (P)	20,000	625				
1867 S	48,000					
1868 (P)	29,400	600				
1868 S	96,000					
1869 (P)	16,000	600				
1869 S	76,000					
1870 (P)	86,400	1,000				
1870 CC	8,340					
1871 (P)	118,200	960				
1871 S	30,900					
1871 CC	10,890					
1872 (P)	182,000	950				
1872 S	83,000					
1872 CC	22,850					

	Business	Proof	Grade	Date purchased	Amount paid	Notes
1873 (P) Closed 3, No Arrows	212,000	600				
1873 (P) With Arrows	1,271,160	540				
1873 (P) Open 3, No Arrows						
1873 S With Arrows	156,000					
1873 CC No Arrows	4,000					
1873 CC With Arrows	12,462					
1874 (P) Arrows	471,200	700				
1874 S Arrows	392,000					
1875 (P)	4,292,800	700				
1875 S	680,000					
1875 CC	140,000					
1876 (P)	17,816,000	1,150				
1876 S	8,596,000					
1876 CC	4,944,000					
1877 (P)	10,911,200	510				
1877 S	8,996,000					
1877 S /Horizontal S						
1877 CC	4,192,000					
1878 (P)	2,260,000	800				
1878 S	140,000					
1878 CC	996,000					
1879 (P)	14,450	250				
1880 (P)	13,600	1,355				
1881 (P)	12,000	975				
1882 (P)	15,200	1,100				
1883 (P)	14,400	1,039				
1884 (P)	8,000	875				
1885 (P)	13,600	930				
1886 (P)	5,000	886				
1887 (P)	10,000	710				
1888 (P)	10,001	832				
1888 S	1,216,000					
1889 (P)	12,000	711				
1890 (P)	80,000	590				
1891 (P)	3,920,000	600				
1891 S	2,216,000					
1891 O	68,000	*				

Barber

	Business	Proof	Grade	Date purchased	Amount paid	Notes
1892 (P)	8,236,000	1,245				
1892 S	964,079					
1892 O	2,640,000					
1893 (P)	5,444,023	792				
1893 S	1,454,535					
1893 O	3,396,000					
1894 (P)	3,432,000	972				
1894 S	2,648,821					
1894 O	2,852,000					
1895 (P)	4,440,000	880				
1895 S	1,764,681					
1895 O	2,816,000					
1896 (P)	3,874,000	762				
1896 S	188,039					
1896 O	1,484,000					
1897 (P)	8,140,000	731				
1897 S	542,229					
1897 O	1,414,800					
1898 (P)	11,100,000	735				
1898 S	1,020,592					
1898 O	1,868,000					
1899 (P)	12,624,000	846				
1899 S	708,000					
1899 O	2,644,000					
1900 (P)	10,016,000	912				
1900 S	1,858,585					
1900 O	3,416,000					
1901 (P)	8,892,000	813				
1901 S	72,664					
1901 O	1,612,000					
1902 (P)	12,196,967	777				
1902 S	1,524,612					
1902 O	4,748,000					
1903 (P)	9,669,309	755				
1903 S	1,036,000					
1903 O	3,500,000					
1904 (P)	9,588,143	670				

	Business	Proof	Grade	Date purchased	Amount paid	Notes
1904 O	2,456,000					
1905 (P)	4,967,523	727				
1905 S	1,884,000					
1905 O	1,230,000					
1906 (P)	3,655,760	675				
1906 D	3,280,000					
1906 O	2,056,000					
1907 (P)	7,192,000	575				
1907 D	2,484,000					
1907 S	1,360,000					
1907 O	4,560,000					
1908 (P)	4,232,000	545				
1908 D	5,788,000					
1908 S	784,000					
1908 O	6,244,000					
1909 (P)	9,268,000	650				
1909 D	5,114,000					
1909 S	1,348,000					
1909 O	712,000					
1910 (P)	2,244,000	551				
1910 D	1,500,000					
1911 (P)	3,720,000	543				
1911 D	933,600					
1911 S	988,000					
1912 (P)	4,400,000	700				
1912 S	708,000					
1913 (P)	484,000	613				
1913 D	1,450,800					
1913 S	40,000					
1914 (P)	6,244,230	380				
1914 D	3,046,000					
1914 S	264,000					
1915 (P)	3,480,000	450				
1915 D	3,694,000					
1915 S	704,000					
1916 (P)	1,788,000					
1916 D	6,540,800					

Standing Liberty

	Business	Proof	Grade	Date purchased	Amount paid	Notes
1916 (P)	52,000					
1917 (P) Bare Breast	8,740,000	*				
1917 (P) Mailed Breast	13,880,000					
1917 D Mailed Breast	6,224,400					
1917 D Bare Breast	1,509,200					
1917 S Mailed Breast	5,552,000					
1917 S Bare Breast	1,952,000					
1918 (P)	14,240,000					
1918 D	7,380,000					
1918 S	11,072,000					
1918/7 S						
1919 (P)	11,324,000					
1919 D	1,944,000					
1919 S	1,836,000					
1920 (P)	27,860,000					
1920 D	3,586,400					
1920 S	6,380,000					
1921 (P)	1,916,000					
1923 (P)	9,716,000					
1923 S	1,360,000					
1924 (P)	10,920,000					
1924 D	3,112,000					
1924 S	2,860,000					
1925 (P)	12,280,000					
1926 (P)	11,316,000					
1926 D	1,716,000					
1926 S	2,700,000					
1927 (P)	11,912,000					
1927 D	976,400					
1927 S	396,000					
1928 (P)	6,336,000					
1928 D	1,627,600					
1928 S	2,644,000					
1929 (P)	11,140,000					
1929 D	1,358,000					
1929 S	1,764,000					
1930 (P)	5,632,000					

	Business	Proof	Grade	Date purchased	Amount paid	Notes
1930 S	1,556,000					

Washington

	Business	Proof	Grade	Date purchased	Amount paid	Notes
1932 (P)	5,404,000					
1932 D	436,800					
1932 S	408,000					
1934 (P)	31,912,052					
1934 (P) Light Motto						
1934 (P) Doubled Die						
1934 D	3,527,200					
1935 (P)	32,484,000					
1935 D	5,780,000					
1935 S	5,660,000					
1936 (P)	41,300,000	3,837				
1936 D	5,374,000					
1936 S	3,828,000					
1937 (P)	19,696,000	5,542				
1937 D	7,189,600					
1937 S	1,652,000					
1938 (P)	9,472,000	8,045				
1938 S	2,832,000					
1939 (P)	33,540,000	8,795				
1939 D	7,092,000					
1939 S	2,628,000					
1940 (P)	35,704,000	11,246				
1940 D	2,797,600					
1940 S	8,244,000					
1941 (P)	79,032,000	15,287				
1941 D	16,714,800					
1941 S	16,080,000					
1942 (P)	102,096,000	21,123				
1942 D	17,487,200					
1942 S	19,384,000					
1943 (P)	99,700,000					

	Business	Proof	Grade	Date purchased	Amount paid	Notes
1943 D	16,095,600					
1943 S	21,700,000					
1943 S Doubled Die						
1944 (P)	104,956,000					
1944 D	14,600,800					
1944 S	12,560,000					
1945 (P)	74,372,000					
1945 D	12,341,600					
1945 S	17,004,001					
1946 (P)	53,436,000					
1946 D	9,072,800					
1946 S	4,204,000					
1947 (P)	22,556,000					
1947 D	15,338,400					
1947 S	5,532,000					
1948 (P)	35,196,000					
1948 D	16,766,800					
1948 S	15,960,000					
1949 (P)	9,312,000					
1949 D	10,068,400					
1950 (P)	24,920,126	51,386				
1950 D	21,075,600					
1950 D /S						
1950 S	10,284,004					
1950 S /D						
1951 (P)	43,448,102	57,500				
1951 D	35,354,800					
1951 S	9,048,000					
1952 (P)	38,780,093	81,980				
1952 D	49,795,200					
1952 S	13,707,800					
1953 (P)	18,536,120	128,800				
1953 D	56,112,400					
1953 S	14,016,000					
1954 (P)	54,412,203	233,300				
1954 D	42,305,500					
1954 S	11,834,722					
1955 (P)	18,180,181	378,200				
1955 D	3,182,400					
1956 (P)	44,144,000	669,384				
1956 D	32,334,500					
1957 (P)	46,532,000	1,247,952				
1957 D	77,924,160					
1958 (P)	6,360,000	875,652				
1958 D	78,124,900					
1959 (P)	24,384,000	1,149,291				
1959 D	62,054,232					
1960 (P)	29,164,000	1,691,602				
1960 D	63,000,324					

	Business	Proof	Grade	Date purchased	Amount paid	Notes
1961 (P)	37,036,000	3,028,244				
1961 D	83,656,928					
1962 (P)	36,156,000	3,218,019				
1962 D	127,554,756					
1963 (P)	74,316,000	3,075,645				
1963 D	135,288,184					
1964 (P)	560,390,585	3,950,762				
1964 D	704,135,528					
1965 (P)	1,082,216,000					
1965 (D)	673,305,540					
1965 (S)	61,836,000					
1966 (P)	404,416,000					
1966 (D)	367,490,400					
1966 (S)	46,933,517					
1967 (P)	873,524,000					
1967 (D)	632,767,848					
1967 (S)	17,740,000					
1968 (P)	220,731,500					
1968 D	101,534,000					
1968 S		3,041,506				
1969 (P)	176,212,000					
1969 D	114,372,000					
1969 S		2,934,631				
1970 (P)	136,420,000					
1970 D	417,341,364					
1970 S		2,632,810				
1971 (P)	109,284,000					
1971 D	258,634,428					
1971 S		3,220,733				
1972 (P)	215,048,000					
1972 D	311,067,732					
1972 S		3,260,996				
1973 (P)	346,924,000					
1973 D	232,977,400					
1973 S		2,760,339				
1974 (P)	801,456,000					
1974 D	353,160,300					
1974 S		2,612,568				
1976 (P)	809,408,016					
1976 D	860,118,839					

Bicentennial type

	Business	Proof	Grade	Date purchased	Amount paid	Notes
1976 S		HUH				
1976 S 40% silver		HUH				
1976 (W)	376,000					

Normal type

	Business	Proof	Grade	Date purchased	Amount paid	Notes
1977 (P)	461,204,000					
1977 D	256,524,978					
1977 S		3,236,798				
1977 (W)	7,352,000					
1978 (P)	500,652,000					
1978 D	287,373,152					
1978 S		3,120,285				
1978 (W)	20,800,000					
1979 (P)	493,036,000					
1979 D	489,789,780					
1979 S Filled S		3,677,175				
1979 S Clear S						
1979 (W)	22,672,000					
1980 P	635,832,000					
1980 D	518,327,487					
1980 S		3,554,806				
1981 P	601,716,000					
1981 D	575,722,833					
1981 S		4,063,083				
1982 P	500,931,000					
1982 D	480,042,788					
1982 S		3,857,479				
1983 P	673,535,000					
1983 D	617,806,446					
1983 S		3,279,126				
1984 P	676,545,000					

	Business	Proof	Grade	Date purchased	Amount paid	Notes
1984 D	546,483,064					
1984 S		3,065,110				
1985 P	775,818,962					
1985 D	519,962,888					
1985 S		3,362,821				
1986 P	551,199,333					
1986 D	504,298,660					
1986 S		3,010,497				
1987 P	582,499,481					
1987 D	655,595,696					
1987 S		3,792,233				
1988 P	562,052,000					
1988 D	596,810,688					
1988 S		3,262,948				
1989 P	512,868,000					
1989 D	896,733,858					
1989 S		3,220,914				
1990 P	613,792,000					
1990 D	927,638,181					
1990 S		3,299,559				
1991 P	570,960,000					
1991 D	630,966,693					
1991 S		2,867,787				
1992 P	384,764,000					
1992 D	389,777,107					
1992 S clad		2,858,903				
1992 S 90% silver		1,317,641				
1993 P	639,276,000					
1993 D	645,476,128					
1993 S clad		U				
1993 S 90% silver		U				
1994 P						
1994 D						
1994 S clad		U				
1994 S 90% silver		U				
1995 (P)						
1995 D						
1995 S						
1996 (P)						
1996 D						
1996 S						
1997 (P)						
1997 D						
1997 S						
1998 (P)						
1998 D						
1998 S						
1999 (P)						
1999 D						

	Business	Proof	Grade	Date purchased	Amount paid	Notes
1999 S						
2000 (P)						
2000 D						
2000 S						

Half dollar

Flowing Hair

	Business	Proof	Grade	Date purchased	Amount paid	Notes
1794 (P)	23,464					
1795 (P)	299,680					
1795 (P) 3 Leaves						

Draped Bust, Small Eagle

	Business	Proof	Grade	Date purchased	Amount paid	Notes
1796 (P) 15 Stars	934					
1796 (P) 16 Stars						
1797 (P) 15 Stars	2,984					

Draped Bust, Heraldic Eagle

	Business	Proof	Grade	Date purchased	Amount paid	Notes
1801 (P) Heraldic Eagle	30,289					
1802 (P)	29,890					
1803 (P) Small 3	188,234					
1803 (P) Large 3						
1805 (P)	211,722					
1805/4 (P)						
1806 (P)	839,576					
1806 (P) /Inverted 6						
1806 (P) Knobbed 6, No Stem						
1806/5 (P)						
1807 (P)	301,076					

Capped Bust

	Business	Proof	Grade	Date purchased	Amount paid	Notes
1807 (P) Small Stars	750,500					
1807 (P) Large Stars						

	Business	Proof	Grade	Date purchased	Amount paid	Notes
1807 (P) 50/20						
1808 (P)	1,368,600					
1808 (P) /7						
1809 (P)	1,405,810					
1810 (P)	1,276,276					
1811 (P) Small 8	1,203,644					
1811 (P) Large 8						
1811 (P) /0						
1812 (P)	1,628,059					
1812 (P) /1 Small 8						
1812 (P) /1 Large 8						
1813 (P)	1,241,903					
1813 (P) 50C/UNI						
1814 (P)	1,039,075					
1814 (P) /3						
1815 (P) /2	47,150					
1817 (P)	1,215,567	*				
1817 (P) /3		*				
1817 (P) /4		*				
1818 (P)	1,960,322	*				
1818 (P) /7		*				
1819 (P)	2,208,000	*				
1819 (P) /8		*				
1820 (P)	751,122	*				
1820 (P) /19		*				
1821 (P)	1,305,797	*				
1822 (P)	1,559,573	*				
1822 (P) /1		*				
1823 (P)	1,694,200	*				
1823 (P) Broken 3		*				
1824 (P)	3,504,954	*				
1824 (P) /1		*				
1824 (P) /4		*				
1825 (P)	2,943,166	*				
1826 (P)	4,004,180	*				
1827 (P) Square 2	5,493,400	*				
1827 (P) Curl 2		*				
1827 (P) /6		*				
1828 (P)	3,075,200	*				
1828 (P) Large 8s		*				
1828 (P) Small 8s		*				
1829 (P)	3,712,156	*				
1829 (P) /7		*				
1830 (P) Large 0	4,764,800	*				
1830 (P) Small 0		*				
1831 (P)	5,873,660	*				
1832 (P) Normal	4,797,000	*				
1832 (P) Large Letters		*				
1833 (P)	5,206,000	(R)				

	Business	Proof	Grade	Date purchased	Amount paid	Notes
1834 (P)	6,412,004	(R)				
1835 (P)	5,352,006	(R)				
1836 (P) Lettered Edge	6,545,000	*				
1836 (P) Reeded Edge, 50 CENTS	1,200	*				
1836 (P) Lettered Edge, 50/00		*				
1837 (P) 50 CENTS	3,629,820	*				
1838 (P) HALF DOL	3,546,000	*				
1838 O		*				
1839 (P)	1,362,160	*				
1839 O	178,976	*				

Seated Liberty

	Business	Proof	Grade	Date purchased	Amount paid	Notes
1839 (P) No Drapery	1,972,400	*				
1839 (P) Drapery		*				
1840 (P) Small Letters	1,435,008	*				
1840 (P) Medium Letters		*				
1840 O	855,100					
1841 (P)	310,000	*				
1841 O	401,000					
1842 (P) Small Date	2,012,764	*				
1842 (P) Medium Date		*				
1842 O Large Date	957,000					
1842 O Small Date						
1843 (P)	3,844,000	*				
1843 O	2,268,000					
1844 (P)	1,766,000	*				
1844 O	2,005,000					
1844 O Doubled Date						
1845 (P)	589,000	*				
1845 O	2,094,000					
1845 O No Drapery						

	Business	Proof	Grade	Date purchased	Amount paid	Notes
1846 (P) Small Date	2,210,000	*				
1846 (P) Tall Date		*				
1846 (P) /Horizontal 6		*				
1846 O Medium Date	2,304,000					
1846 O Tall Date						
1847 (P)	1,156,000	*				
1847 O	2,584,000					
1848 (P)	580,000	*				
1848 O	3,180,000					
1849 (P)	1,252,000	*				
1849 O	2,310,000					
1850 (P)	227,000	*				
1850 O	2,456,000					
1851 (P)	200,750					
1851 O	402,000					
1852 (P)	77,130	*				
1852 O	144,000					
1853 (P) Arrows & Rays	3,532,708	*				
1853 O Arrows & Rays	1,328,000					
1853 O No Arrows						
1854 (P) Arrows	2,982,000	*				
1854 O Arrows	5,240,000					
1855 (P) Arrows	759,500	*				
1855 (P) /1854		*				
1855 S Arrows	129,950	*				
1855 O Arrows	3,688,000					
1856 (P) No Arrows	938,000	*				
1856 S	211,000					
1856 O	2,658,000					
1857 (P)	1,988,000	*				
1857 S	158,000					
1857 O	818,000					
1858 (P)	4,226,000	*				
1858 S	476,000					
1858 O	7,294,000					
1859 (P)	748,000	*				
1859 S	566,000					
1859 O	2,834,000					
1860 (P)	302,700	1,000				
1860 S	472,000					
1860 O	1,290,000					
1861 (P)	2,887,400	1,000				
1861 S	939,500					
1861 O	2,532,633	*				
1862 (P)	253,000	550				
1862 S	1,352,000					
1863 (P)	503,200	460				
1863 S	916,000					
1864 (P)	379,100	470				

	Business	Proof	Grade	Date purchased	Amount paid	Notes
1864 S	658,000					
1865 (P)	511,400	500				
1865 S	675,000					
1866 (P) Motto	744,900	725				
1866 S With Motto	994,000					
1866 S No Motto	60,000					
1867 (P)	449,300	625				
1867 S	1,196,000					
1868 (P)	417,600	600				
1868 S	1,160,000					
1869 (P)	795,300	600				
1869 S	656,000					
1870 (P)	633,900	1,000				
1870 S	1,004,000					
1870 CC	54,617					
1871 (P)	1,203,600	960				
1871 S	2,178,000					
1871 CC	153,950					
1872 (P)	880,600	950				
1872 S	580,000					
1872 CC	257,000					
1873 (P) Open 3, No Arrows	801,200	600				
1873 (P) With Arrows	1,815,150	550				
1873 (P) Closed 3, No Arrows						
1873 S No Arrows	5,000					
1873 S With Arrows	228,000					
1873 CC With Arrows	214,560					
1873 CC No Arrows	122,500					
1874 (P)	2,359,600	700				
1874 S	394,000					
1874 CC	59,000					
1875 (P)	6,026,800	700				
1875 S	3,200,000					
1875 CC	1,008,000					
1876 (P)	8,418,000	1,150				
1876 S	4,528,000					
1876 CC	1,956,000					
1877 (P)	8,304,000	510				
1877 S	5,356,000					
1877 CC	1,420,000					
1878 (P)	1,377,600	800				
1878 S	12,000					
1878 CC	62,000					
1879 (P)	4,800	1,100				
1880 (P)	8,400	1,355				
1881 (P)	10,000	975				
1882 (P)	4,400	1,100				
1883 (P)	8,000	1,039				
1884 (P)	4,400	875				

	Business	Proof	Grade	Date purchased	Amount paid	Notes
1885 (P)	5,200	930				
1886 (P)	5,000	886				
1887 (P)	5,000	710				
1888 (P)	12,001	832				
1889 (P)	12,000	711				
1890 (P)	12,000	590				
1891 (P)	200,000	600				

Barber

	Business	Proof	Grade	Date purchased	Amount paid	Notes
1892 (P)	934,245	1,245				
1892 S	1,029,028					
1892 O	390,000					
1893 (P)	1,826,000	792				
1893 S	740,000					
1893 O	1,389,000					
1894 (P)	1,148,000	972				
1894 S	4,048,690					
1894 O	2,138,000					
1895 (P)	1,834,338	880				
1895 S	1,108,086					
1895 O	1,766,000	*				
1896 (P)	950,000	762				
1896 S	1,140,948					
1896 O	924,000					
1897 (P)	2,480,000	731				
1897 S	933,900					
1897 O	632,000					
1898 (P)	2,956,000	735				
1898 S	2,358,550					
1898 O	874,000					
1899 (P)	5,538,000	846				

	Business	Proof	Grade	Date purchased	Amount paid	Notes
1899 S	1,686,411					
1899 O	1,724,000					
1900 (P)	4,762,000	912				
1900 S	2,560,322					
1900 O	2,744,000					
1901 (P)	4,268,000	813				
1901 S	847,044					
1901 O	1,124,000					
1902 (P)	4,922,000	777				
1902 S	1,460,670					
1902 O	2,526,000					
1903 (P)	2,278,000	755				
1903 S	1,920,772					
1903 O	2,100,000					
1904 (P)	2,992,000	670				
1904 S	553,038					
1904 O	1,117,600					
1905 (P)	662,000	727				
1905 S	2,494,000					
1905 O	505,000					
1906 (P)	2,638,000	675				
1906 D	4,028,000					
1906 S	1,740,154					
1906 O	2,446,000					
1907 (P)	2,598,000	575				
1907 D	3,856,000					
1907 S	1,250,000					
1907 O	3,946,600					
1908 (P)	1,354,000	545				
1908 D	3,280,000					
1908 S	1,644,828					
1908 O	5,360,000					
1909 (P)	2,368,000	650				
1909 S	1,764,000					
1909 O	925,400					
1910 (P)	418,000	551				
1910 S	1,948,000					
1911 (P)	1,406,000	543				
1911 D	695,080					
1911 S	1,272,000					
1912 (P)	1,550,000	700				
1912 D	2,300,800					
1912 S	1,370,000					
1913 (P)	188,000	627				
1913 D	534,000					
1913 S	604,000					
1914 (P)	124,230	380				
1914 S	992,000					
1915 (P)	138,000	450				

	Business	Proof	Grade	Date purchased	Amount paid	Notes
1915 D	1,170,400					
1915 S	1,604,000					

Walking Liberty

	Business	Proof	Grade	Date purchased	Amount paid	Notes
1916 (P)	608,000	*				
1916 D	1,014,400					
1916 S	508,000					
1917 (P)	12,292,000					
1917 D Obverse Mint Mark	765,400					
1917 D Reverse Mint Mark	1,940,000					
1917 S Obverse Mint Mark	952,000					
1917 S Reverse Mint Mark	5,554,000					
1918 (P)	6,634,000					
1918 D	3,853,040					
1918 S	10,282,000					
1919 (P)	962,000					
1919 D	1,165,000					
1919 S	1,552,000					
1920 (P)	6,372,000					
1920 D	1,551,000					
1920 S	4,624,000					
1921 (P)	246,000					
1921 D	208,000					
1921 S	548,000					
1923 S	2,178,000					
1927 S	2,392,000					
1928 S	1,940,000					
1929 D	1,001,200					

	Business	Proof	Grade	Date purchased	Amount paid	Notes
1929 S	1,902,000					
1933 S	1,786,000					
1934 (P)	6,964,000					
1934 D	2,361,400					
1934 S	3,652,000					
1935 (P)	9,162,000					
1935 D	3,003,800					
1935 S	3,854,000					
1936 (P)	12,614,000	3,901				
1936 D	4,252,400					
1936 S	3,884,000					
1937 (P)	9,522,000	5,728				
1937 D	1,676,000					
1937 S	2,090,000					
1938 (P)	4,110,000	8,152				
1938 D	491,600					
1939 (P)	6,812,000	8,808				
1939 D	4,267,800					
1939 S	2,552,000					
1940 (P)	9,156,000	11,279				
1940 S	4,550,000					
1941 (P)	24,192,000	15,412				
1941 D	11,248,400					
1941 S	8,098,000					
1942 (P)	47,818,000	21,120				
1942 D	10,973,800					
1942 S	12,708,000					
1943 (P)	53,190,000					
1943 D	11,346,000					
1943 S	13,450,000					
1944 (P)	28,206,000					
1944 D	9,769,000					
1944 S	8,904,000					
1945 (P)	31,502,000					
1945 D	9,996,800					
1945 S	10,156,000					
1946 (P)	12,118,000					
1946 D	2,151,000					
1946 S	3,724,000					
1947 (P)	4,094,000					
1947 D	3,900,600					

Franklin

	Business	Proof	Grade	Date purchased	Amount paid	Notes
1948 (P)	3,006,814					
1948 D	4,028,600					
1949 (P)	5,614,000					
1949 D	4,120,600					
1949 S	3,744,000					
1950 (P)	7,742,123	51,386				
1950 D	8,031,600					
1951 (P)	16,802,102	57,500				
1951 D	9,475,200					
1951 S	13,696,000					
1952 (P)	21,192,093	81,980				
1952 D	25,395,600					
1952 S	5,526,000					
1953 (P)	2,668,120	128,800				
1953 D	20,900,400					
1953 S	4,148,000					
1954 (P)	13,188,203	233,300				
1954 D	25,445,580					
1954 S	4,993,400					
1955 (P)	2,498,181	378,200				
1956 (P)	4,032,000	669,384				
1957 (P)	5,114,000	1,247,952				
1957 D	19,966,850					
1958 (P)	4,042,000	875,652				
1958 D	23,962,412					
1959 (P)	6,200,000	1,149,291				
1959 D	13,0,750					
1960 (P)	6,024,000	1,691,602				
1960 D	18,215,812					
1961 (P)	8,290,000	3,028,244				
1961 D	20,276,442					
1962 (P)	9,714,000	3,218,019				
1962 D	35,473,281					
1963 (P)	22,164,000	3,075,645				

	Business	Proof	Grade	Date purchased	Amount paid	Notes
1963 D	67,069,292					

Kennedy

	Business	Proof	Grade	Date purchased	Amount paid	Notes
1964 (P)	273,304,004	3,950,762				
1964 D	156,205,446					
1965 (P)						
1965 (D)	63,049,366					
1965 (S)	470,000					
1966 (P)						
1966 (D)	106,439,312					
1966 (S)	284,037					
1967 (P)						
1967 (D)	293,183,634					
1967 (S)						
1968 D	246,951,930					
1968 S		3,041,506				
1969 D	129,881,800					
1969 S		2,934,631				
1970 D	2,150,000					
1970 S		2,632,810				
1971 (P)	155,164,000					
1971 D	302,097,424					
1971 S		3,220,733				
1972 (P)	153,180,000					
1972 D	141,890,000					
1972 S		3,260,996				
1973 (P)	64,964,000					
1973 D	83,171,400					
1973 S		2,760,339				
1974 (P)	201,596,000					
1974 D	79,066,300					
1974 S		2,612,568				

Bicentennial type

	Business	Proof	Grade	Date purchased	Amount paid	Notes
1976 (P)	234,308,000					
1976 D	287,565,248					
1976 S						
1976 S 40% silver						

Normal type

	Business	Proof	Grade	Date purchased	Amount paid	Notes
1977 (P)	43,598,000					
1977 D	31,449,106					
1977 S		3,236,798				
1978 (P)	14,350,000					
1978 D	13,765,799					
1978 S		3,120,285				
1979 (P)	68,312,000					
1979 D	15,815,422					
1979 S Filled S		3,677,175				
1980 P	44,134,000					
1980 D	33,456,449					
1980 S		3,554,806				
1981 P	29,544,000					
1981 D	27,839,533					
1981 S Filled S		4,063,083				
1982 P	10,819,000					
1982 D	13,140,102					
1982 S		3,857,479				
1983 P	34,139,000					
1983 D	32,472,244					
1983 S		3,279,126				

	Business	Proof	Grade	Date purchased	Amount paid	Notes
1984 P	26,029,000					
1984 D	26,262,158					
1984 S		3,065,110				
1985 P	18,706,962					
1985 D	19,814,034					
1985 S		3,362,821				
1986 P	13,107,633					
1986 D	15,366,145					
1986 S		3,010,497				
1987 P						
1987 D						
1987 S		3,792,233				
1988 P	13,626,000					
1988 D	12,000,096					
1988 S		3,262,948				
1989 P	24,542,000					
1989 D	23,000,216					
1989 S		3,220,914				
1990 P	22,278,000					
1990 D	20,096,242					
1990 S		3,299,559				
1991 P	14,874,000					
1991 D	15,054,678					
1991 S		2,867,787				
1992 P	17,628,000					
1992 D	17,000,106					
1992 S clad		2,858,903				
1992 S 90% silver		1,317,641				
1993 P	15,510,000					
1993 D	15,000,006					
1993 S clad		U				
1993 S 90% silver		U				
1994 P						
1994 D						
1994 S clad		U				
1994 S 90% silver		U				
1995 (P)						
1995 D						
1995 S						
1996 (P)						
1996 D						
1996 S						
1997 (P)						
1997 D						
1997 S						
1998 (P)						
1998 D						
1998 S						
1999 (P)						

	Business	Proof	Grade	Date purchased	Amount paid	Notes
1999 D						
1999 S						
2000 (P)						
2000 D						
2000 S						

Silver dollar

Flowing Hair

	Business	Proof	Grade	Date purchased	Amount paid	Notes
1794 (P)	1,758					
1795 (P)	160,295					

Draped Bust, Small Eagle

	Business	Proof	Grade	Date purchased	Amount paid	Notes
1795 (P)	42,738					
1796 (P)	72,920					
1797 (P) 9x7 Small Letters	7,776					

	Business	Proof	Grade	Date purchased	Amount paid	Notes
1797 (P) 9x7 Large Letters						
1797 (P) 10x6						
1798 (P) 13 Stars, Small Eagle	327,536					
1798 (P) 15 Stars, Small Eagle						

Draped Bust, Heraldic Eagle

	Business	Proof	Grade	Date purchased	Amount paid	Notes
1798 (P) Heraldic Eagle						
1799 (P)	423,515					
1799 (P) /98						
1799 (P) 8x5 Stars						
1800 (P)	220,920					
1801 (P)	54,454					
1802 (P)	41,650					
1802 (P) /1						
1803 (P) Large 3	85,634					
1803 (P) Small 3	85,634					
1804 (P) (Restrikes)						

Gobrecht

	Business	Proof	Grade	Date purchased	Amount paid	Notes
1836 (P) (pattern)	1,600	*				
1836 (P) (circulation)						
1836 (P) (circulation, new weight)						
1838 (P) (pattern)		*				
1839 (P) (circulation)	300	*				

Seated Liberty

	Business	Proof	Grade	Date purchased	Amount paid	Notes
1840 (P) No Motto	61,005	(R)				
1841 (P)	173,000	(R)				
1842 (P)	184,618	(R)				
1843 (P)	165,100	(R)				
1844 (P)	20,000	(R)				

	Business	Proof	Grade	Date purchased	Amount paid	Notes
1845 (P)	24,500	(R)				
1846 (P)	110,600	(R)				
1846 O	59,000	(R)				
1847 (P)	140,750	(R)				
1848 (P)	15,000	(R)				
1849 (P)	62,600	(R)				
1850 (P)	7,500	(R)				
1850 O	40,000	(R)				
1851 (P)	1,300	(R)				
1852 (P)	1,100	(R)				
1853 (P)	46,110	(R)				
1854 (P)	33,140	*				
1855 (P)	26,000	*				
1856 (P)	63,500	*				
1857 (P)	94,000	*				
1858 (P)		*				
1859 (P)	256,500	*				
1859 S	20,000					
1859 O	360,000					
1860 (P)	217,600	1,330				
1860 O	515,000					
1861 (P)	77,500	1,000				
1862 (P)	11,540	550				
1863 (P)	27,200	460				
1864 (P)	30,700	470				
1865 (P)	46,500	500				
1866 (P) Motto	48,900	725				
1867 (P)	46,900	625				
1868 (P)	162,100	600				
1869 (P)	423,700	600				
1870 (P)	415,000	1,000				
1870 S						
1870 CC	12,462	*				
1871 (P)	1,073,800	960				
1871 CC	1,376					
1872 (P)	1,105,500	950				
1872 S	9,000					
1872 CC	3,150					
1873 (P)	293,000	600				
1873 CC	2,300					

Trade dollars

	Business	Proof	Grade	Date purchased	Amount paid	Notes
1873 (P)	396,635	865				
1873 S	703,000					
1873 CC	124,500					
1874 (P)	987,100	700				
1874 S	2,549,000					
1874 CC	1,373,200					
1875 (P)	218,200	700				
1875 S	4,487,000					
1875 S /CC						
1875 CC	1,573,700					
1876 (P)	455,000	1,150				
1876 S	5,227,000					
1876 CC	509,000					
1877 (P)	3,039,200	510				
1877 S	9,519,000					
1877 CC	534,000					
1878 (P)		900				
1878 S	4,162,000					
1878 CC	97,000					
1879 (P)		1,541				
1880 (P)		1,987				
1881 (P)		960				
1882 (P)		1,097				
1883 (P)		979				
1884 (P)		10				
1885 (P)		5				

Morgan

	Business	Proof	Grade	Date purchased	Amount paid	Notes
1878 (P) 8 Tail Feathers	10,508,550	1,000				
1878 (P) 7 Tail Feathers, Reverse of 1878						
1878 (P) 7 Tail Feathers, Reverse of 1879						
1878 (P) 7/8 Tail Feathers						
1878 S	9,774,000					
1878 CC	2,212,000					
1879 (P)	14,806,000	1,100				
1879 S Reverse of 1878	9,110,000					
1879 S Reverse of 1879						
1879 CC	756,000					
1879 CC Large CC/Small CC						
1879 0	2,887,000	*				
1880 (P)	12,600,000	1,355				
1880 S	8,900,000					
1880 CC	591,000					
1880 CC Reverse of 1878						
1880 0	5,305,000					
1881 (P)	9,163,000	975				
1881 S	12,760,000					
1881 CC	296,000					
1881 0	5,708,000					
1882 (P)	11,100,000	1,100				
1882 S	9,250,000					
1882 CC	1,133,000	*				
1882 0	6,090,000					
1883 (P)	12,290,000	1,039				
1883 S	6,250,000					
1883 CC	1,204,000	*				
1883 0	8,725,000	*				
1884 (P)	14,070,000	875				
1884 S	3,200,000					
1884 CC	1,136,000	*				

	Business	Proof	Grade	Date purchased	Amount paid	Notes
1884 O	9,730,000					
1885 (P)	17,786,837	930				
1885 S	1,497,000					
1885 CC	228,000					
1885 O	9,185,000					
1886 (P)	19,963,000	886				
1886 S	750,000					
1886 O	10,710,000					
1887 (P)	20,290,000	710				
1887 S	1,771,000					
1887 O	11,550,000					
1888 (P)	19,183,000	832				
1888 S	657,000					
1888 O	12,150,000					
1889 (P)	21,726,000	811				
1889 S	700,000					
1889 CC	350,000					
1889 O	11,875,000					
1890 (P)	16,802,000	590				
1890 S	8,230,373					
1890 CC	2,309,041					
1890 O	10,701,000					
1891 (P)	8,693,556	650				
1891 S	5,296,000					
1891 CC	1,618,000					
1891 O	7,954,529					
1892 (P)	1,036,000	1,245				
1892 S	1,200,000					
1892 CC	1,352,000					
1892 O	2,744,000					
1893 (P)	389,000	792				
1893 S	100,000					
1893 CC	677,000	*				
1893 O	300,000					
1894 (P)	110,000	972				
1894 S	1,260,000					
1894 O	1,723,000					
1895 (P)	12,000	880				
1895 S	400,000					
1895 O	450,000					
1896 (P)	9,976,000	762				
1896 S	5,000,000					
1896 O	4,900,000					
1897 (P)	2,822,000	731				
1897 S	5,825,000					
1897 O	4,004,000					
1898 (P)	5,884,000	735				
1898 S	4,102,000					
1898 O	4,440,000					

	Business	Proof	Grade	Date purchased	Amount paid	Notes
1899 (P)	330,000	846				
1899 S	2,562,000					
1899 O	12,290,000					
1900 (P)	8,830,000	912				
1900 S	3,540,000					
1900 O	12,590,000					
1900 O /CC						
1901 (P)	6,962,000	813				
1901 S	2,284,000					
1901 O	13,320,000					
1902 (P)	7,994,000	777				
1902 S	1,530,000					
1902 O	8,636,000					
1903 (P)	4,652,000	755				
1903 S	1,241,000					
1903 O	4,450,000					
1904 (P)	2,788,000	650				
1904 S	2,304,000					
1904 O	3,720,000					
1921 (P)	44,690,000	*				
1921 D	20,345,000					
1921 S	21,695,000					

Peace

	Business	Proof	Grade	Date purchased	Amount paid	Notes
1921 (P)	1,006,473					
1922 (P)	51,737,000	*				
1922 D	15,063,000					
1922 S	17,475,000					
1923 (P)	30,800,000					
1923 D	6,811,000					
1923 S	19,020,000					
1924 (P)	11,811,000					
1924 S	1,728,000					
1925 (P)	10,198,000					
1925 S	1,610,000					
1926 (P)	1,939,000					
1926 D	2,348,700					
1926 S	6,980,000					
1927 (P)	848,000					
1927 D	1,268,900					
1927 S	866,000					
1928 (P)	360,649					
1928 S	1,632,000					
1934 (P)	954,057					
1934 D	1,569,500					
1934 S	1,011,000					
1935 (P)	1,576,000					
1935 S	1,964,000					

Clad dollar

Eisenhower

	Business	Proof	Grade	Date purchased	Amount paid	Notes
1971 (P)	47,799,000					
1971 D	68,587,424					
1971 S 40% silver	6,868,530	4,265,234				
1972 (P)	75,890,000					
1972 D	92,548,511					
1972 S 40% silver	2,193,056	1,811,631				
1973 (P)	2,000,056					
1973 D	2,000,000					
1973 S 40% silver	1,883,140	1,013,646				
1973 S copper-nickel clad		2,760,339				
1974 (P)	27,366,000					
1974 D	45,517,000					
1974 S 40% silver	1,900,156	1,306,579				
1974 S copper-nickel clad		2,612,568				

Bicentennial type

	Business	Proof	Grade	Date purchased	Amount paid	Notes
1976 (P) Bold Reverse Letters	117,337,000					
1976 (P) Thin Reverse Letters						
1976 D Bold Reverse Letters	103,228,274					
1976 D Thin Reverse Letters						
1976 S Bold Reverse Letters, copper-nickel clad						
1976 S Thin Reverse Letters, copper-nickel clad						
1976 S 40% silver						

Normal type

	Business	Proof	Grade	Date purchased	Amount paid	Notes
1977 (P)	12,596,000					
1977 D	32,983,006					
1977 S		3,236,798				
1978 (P)	25,702,000					
1978 D	33,012,890					
1978 S		3,120,285				

Anthony

	Business	Proof	Grade	Date purchased	Amount paid	Notes
1979 P	360,222,000					
1979 P Near Date						
1979 D	288,015,744					
1979 S Filled S	109,576,000	3,677,175				
1979 S Clear S						
1980 P	27,610,000					
1980 D	41,628,708					
1980 S	20,422,000	3,554,806				
1981 P	3,000,000					
1981 D	3,250,000					
1981 S Filled S	3,492,000	4,063,083				
1981 S Clear S						

Gold dollar

Coronet

	Business	Proof	Grade	Date purchased	Amount paid	Notes
1849 (P) Open Wreath, L, Small Head	688,567	*				
1849 (P) Open Wreath, No L, Small Head						
1849 (P) Open Wreath, Large Head						
1849 (P) Closed Wreath						
1849 D	21,588					
1849 O	215,000					
1849 C Closed Wreath	11,634					
1849 C Open Wreath						
1850 (P)	481,953					
1850 D	8,382					
1850 O	14,000					
1850 C	6,966					
1851 (P)	3,317,671					
1851 D	9,882					
1851 O	290,000					
1851 C	41,267					
1852 (P)	2,045,351					
1852 D	6,360					
1852 O	140,000					
1852 C	9,434					
1853 (P)	4,076,051					
1853 D	6,583					
1853 O	290,000					
1853 C	11,515			)		
1854 (P) Small HEad	736,709	*				
1854 D	2,935					
1854 S	14,632					

Indian Head, Small Head

	Business	Proof	Grade	Date purchased	Amount paid	Notes
1854 (P)	902,736	*				
1855 (P)	758,269	*				
1855 D	1,811					
1855 O	55,000					
1855 C	9,803					

Indian Head, Large Head

	Business	Proof	Grade	Date purchased	Amount paid	Notes
1856 (P) Large Head, Upright 5	1,762,936	*				
1856 (P) Large Head, Slant 5						
1856 D Large Head	1,460					
1856 S Small Head	24,600					
1857 (P)	774,789	*				
1857 D	3,533					
1857 S	10,000					
1857 C	13,280					
1858 (P)	117,995	*				
1858 D	3,477					
1858 S	10,000					
1859 (P)	168,244	*				
1859 D	4,952					
1859 S	15,000					
1859 C	5,235					
1860 (P)	36,514	154				
1860 D	1,566					
1860 S	13,000					
1861 (P)	527,150	349				
1861 D						
1862 (P)	1,361,365	35				

	Business	Proof	Grade	Date purchased	Amount paid	Notes
1863 (P)	6,200	50				
1864 (P)	5,900	50				
1865 (P)	3,700	25				
1866 (P)	7,100	30				
1867 (P)	5,200	50				
1868 (P)	10,500	25				
1869 (P)	5,900	25				
1870 (P)	6,300	35				
1870 S	3,000					
1871 (P)	3,900	30				
1872 (P)	3,500	30				
1873 (P) Closed 3	125,100	25				
1873 (P) Open 3						
1874 (P)	198,800	20				
1875 (P)	400	20				
1876 (P)	3,200	45				
1877 (P)	3,900	20				
1878 (P)	3,000	20				
1879 (P)	3,000	30				
1880 (P)	1,600	36				
1881 (P)	7,620	87				
1882 (P)	5,000	125				
1883 (P)	10,800	207				
1884 (P)	5,230	1,006				
1885 (P)	11,156	1,105				
1886 (P)	5,000	1,016				
1887 (P)	7,500	1,043				
1888 (P)	15,501	1,079				
1889 (P)	28,950	1,779				

Quarter eagle

Capped Bust

	Business	Proof	Grade	Date purchased	Amount paid	Notes
1796 (P) No Stars	1,395					
1796 (P) Stars						
1797 (P)	427					
1798 (P)	1,094					
1802 (P) /1	3,035					
1804 (P) 13 Stars	3,327					
1804 (P) 14 Stars						
1805 (P)	1,781					
1806 (P) /4	1,616					
1806 (P) /5						
1807 (P)	6,812					

Capped Draped Bust

	Business	Proof	Grade	Date purchased	Amount paid	Notes
1808 (P)	2,710					

Capped Head

	Business	Proof	Grade	Date purchased	Amount paid	Notes
1821 (P)	6,448	*				
1824 (P) /1	2,600	*				
1825 (P)	4,434	*				
1826 (P)	760	*				
1827 (P)	2,800	*				
1829 (P) Small Planchet	3,403	*				
1830 (P)	4,540	*				
1831 (P)	4,520	*				
1832 (P)	4,400	*				
1833 (P)	4,160	*				
1834 (P)	4,000	*				

Classic Head

	Business	Proof	Grade	Date purchased	Amount paid	Notes
1834 (P) No Motto	113,370	*				
1835 (P)	131,402	*				
1836 (P)	547,986	*				
1837 (P)	45,080	*				
1838 (P)	47,030					
1838 C	7,908					
1839 (P) /8	27,021					
1839 D 9 Over 8	13,674					
1839 O	17,781					
1839 C 9 Over 8	18,173					

Coronet

	Business	Proof	Grade	Date purchased	Amount paid	Notes
1840 (P)	18,859	*				
1840 D	3,532					
1840 O	33,580					
1840 C	12,838					
1841 (P)		*				
1841 D	4,164					
1841 C	10,297					
1842 (P)	2,823	*				
1842 D	4,643					
1842 O	19,800					
1842 C	6,737					
1843 (P)	100,546	*				
1843 D	36,209					
1843 O Small Date	368,002					
1843 C Large Date	26,096					
1843 C Small Date						
1844 (P)	6,784	*				
1844 D	17,332					
1844 C	11,622					
1845 (P)	91,051	*				
1845 D	19,460					
1845 O	4,000					
1846 (P)	21,598	*				
1846 D	19,303					
1846 O	62,000					
1846 C	4,808					
1847 (P)	29,814	*				
1847 D	15,784					
1847 O	124,000					
1847 C	23,226					
1848 (P)	7,497	*				
1848 (P) CAL.	1,389					
1848 D	13,771					
1848 C	16,788					
1849 (P)	23,294	*				
1849 D	10,945					
1849 C	10,220					
1850 (P)	252,923					
1850 D	12,148					

	Business	Proof	Grade	Date purchased	Amount paid	Notes
1850 O	84,000					
1850 C	9,148					
1851 (P)	1,372,748					
1851 D	11,264					
1851 O	148,000					
1851 C	14,923					
1852 (P)	1,159,681					
1852 D	4,078					
1852 O	140,000					
1852 C	9,772					
1853 (P)	1,404,668					
1853 D	3,178					
1854 (P)	596,258	*				
1854 D	1,760					
1854 S	246					
1854 O	153,000					
1854 C	7,295					
1855 (P)	235,480	*				
1855 D	1,123					
1855 C	3,677					
1856 (P)	384,240	*				
1856 D	874					
1856 S	71,120					
1856 O	21,100					
1856 C	7,913					
1857 (P)	214,130	*				
1857 D	2,364					
1857 S	69,200					
1857 O	34,000					
1858 (P)	47,377	*				
1858 C	9,056					
1859 (P)	39,444	*				
1859 D	2,244					
1859 S	15,200					
1860 (P) Small Letters & Arrowhead	22,563	112				
1860 S	35,600					
1860 C	7,469					
1861 (P)	1,272,428	90				
1861 S	24,000					
1862 (P)	98,508	35				
1862 S	8,000					
1863 (P)		30				
1863 S	10,800					
1864 (P)	2,824	50				
1865 (P)	1,520	25				
1865 S	23,376					
1866 (P)	3,080	30				
1866 S	38,960					

	Business	Proof	Grade	Date purchased	Amount paid	Notes
1867 (P)	3,200	50				
1867 S	28,000					
1868 (P)	3,600	25				
1868 S	34,000					
1869 (P)	4,320	25				
1869 S	29,500					
1870 (P)	4,520	35				
1870 S	16,000					
1871 (P)	5,320	30				
1871 S	22,000					
1872 (P)	3,000	30				
1872 S	18,000					
1873 (P) Closed 3	178,000	25				
1873 (P) Open 3						
1873 S	27,000					
1874 (P)	3,920	20				
1875 (P)	400	20				
1875 S	11,600					
1876 (P)	4,176	45				
1876 S	5,000					
1877 (P)	1,632	20				
1877 S	35,400					
1878 (P)	286,240	20				
1878 S	178,000					
1879 (P)	88,960	30				
1879 S	43,500					
1880 (P)	2,960	36				
1881 (P)	640	51				
1882 (P)	4,000	67				
1883 (P)	1,920	82				
1884 (P)	1,950	73				
1885 (P)	800	87				
1886 (P)	4,000	88				
1887 (P)	6,160	122				
1888 (P)	16,006	92				
1889 (P)	17,600	48				
1890 (P)	8,720	93				
1891 (P)	10,960	80				
1892 (P)	2,440	105				
1893 (P)	30,000	106				
1894 (P)	4,000	122				
1895 (P)	6,000	119				
1896 (P)	19,070	132				
1897 (P)	29,768	136				
1898 (P)	24,000	165				
1899 (P)	27,200	150				
1900 (P)	67,000	205				
1901 (P)	91,100	223				
1902 (P)	133,540	193				

	Business	Proof	Grade	Date purchased	Amount paid	Notes
1903 (P)	201,060	197				
1904 (P)	160,790	170				
1905 (P)	217,800	144				
1906 (P)	176,330	160				
1907 (P)	336,294	154				

Indian Head

	Business	Proof	Grade	Date purchased	Amount paid	Notes
1908 (P)	564,821	236				
1909 (P)	441,760	139				
1910 (P)	492,000	682				
1911 (P)	704,000	191				
1911 D	55,680					
1912 (P)	616,000	197				
1913 (P)	722,000	165				
1914 (P)	240,000	117				
1914 D	448,000					
1915 (P)	606,000	100				
1925 D	578,000					
1926 (P)	446,000					
1927 (P)	388,000					
1928 (P)	416,000					
1929 (P)	532,000					

Three dollar gold

	Business	Proof	Grade	Date purchased	Amount paid	Notes
1854 (P)	138,618	*				
1854 D	1,120					
1854 O	24,000					
1855 (P)	50,555	*				
1855 S	6,600					
1856 (P)	26,010	*				
1856 S	34,500					
1857 (P)	20,891	*				
1857 S	14,000					
1858 (P)	2,133	*				
1859 (P)	15,638	*				
1860 (P)	7,036	119				
1860 S	4,408					
1861 (P)	5,959	113				
1862 (P)	5,750	35				
1863 (P)	5,000	39				
1864 (P)	2,630	50				
1865 (P)	1,140	25				
1866 (P)	4,000	30				
1867 (P)	2,600	50				
1868 (P)	4,850	25				
1869 (P)	2,500	25				
1870 (P)	3,500	35				
1870 S						
1871 (P)	1,300	30				
1872 (P)	2,000	30				
1873 (P) Open 3						
1873 (P) Closed 3		25(R)				
1874 (P)	41,800	20				
1875 (P)		20(R)				
1876 (P)		45				
1877 (P)	1,468	20				
1878 (P)	82,304	20				
1879 (P)	3,000	30				
1880 (P)	1,000	36				

	Business	Proof	Grade	Date purchased	Amount paid	Notes
1881 (P)	500	54				
1882 (P)	1,500	76				
1883 (P)	900	89				
1884 (P)	1,000	106				
1885 (P)	800	110				
1886 (P)	1,000	142				
1887 (P)	6,000	160				
1888 (P)	5,000	291				
1889 (P)	2,300	129				

Half eagle

Capped Bust

	Business	Proof	Grade	Date purchased	Amount paid	Notes
1795 (P) Small Eagle	8,707					
1795 (P) Heraldic Eagle						
1796 (P) /5 Small Eagle	6,196					
1797 (P) Small Eagle, 15 Stars	3,609					
1797 (P) Small Eagle,16 Stars						
1797 (P) /5 Heraldic Eagle						
1797 (P) Heraldic Eagle, 16 Stars						
1798 (P) Small Eagle	24,867					
1798 (P) Heraldic Eagle, Small 8						
1798 (P) Heraldic Eagle, Large 8, 13 Stars						
1798 (P) Heraldic Eagle, Large 8, 14 Stars						
1799 (P) Large 9, Small Stars	7,451					
1799 (P) Large Stars						
1800 (P)	37,628					
1802 (P) /1	53,176					
1803 (P) /2	33,506					
1804 (P) Small 8	30,475					
1804 (P) Small 8/Large 8						
1805 (P)	33,183					

	Business	Proof	Grade	Date purchased	Amount paid	Notes
1806 (P) Pointed 6	64,093					
1806 (P) Round 6						
1807 (P)	32,488					

Capped Draped Bust

	Business	Proof	Grade	Date purchased	Amount paid	Notes
1807 (P)	51,605					
1808 (P)	55,578					
1808 (P) /7						
1809 (P) /8	33,875					
1810 (P) Small Date, Small 5	100,287					
1810 (P) Small Date, Tall 5						
1810 (P) Large Date, Small 5						
1810 (P) Large Date, Large 5						
1811 (P) Small 5	99,581					
1811 (P) Tall 5						
1812 (P)	58,087					

Capped Head

	Business	Proof	Grade	Date purchased	Amount paid	Notes
1813 (P)	95,428					
1814 (P) /3	15,454					

	Business	Proof	Grade	Date purchased	Amount paid	Notes
1815 (P)	635					
1818 (P)	48,588					
1818 (P) STATESOF						
1818 (P) 5D/50						
1819 (P) Wide Date	51,723					
1819 (P) Close Date						
1819 (P) 5D/50						
1820 (P) Curved Base 2, Small Letters	263,806	*				
1820 (P) Curved Base 2, Large Letters		*				
1820 (P) Square Base 2, Large Letters		*				
1821 (P)	34,641	*				
1822 (P)	17,796					
1823 (P)	14,485	*				
1824 (P)	17,340	*				
1825 (P) /1	29,060	*				
1825 (P) /4		*				
1826 (P)	18,069	*				
1827 (P)	24,913	*				
1828 (P)	28,029	*				
1828 (P) /7		*				
1829 (P) Large Planchet	57,442	*				
1829 (P) Small Planchet						
1830 (P) Small 5D	126,351	*				
1830 (P) Large 5D						
1831 (P) Small 5D	140,594	*				
1831 (P) large 5D						
1832 (P) Curl Base 2, 12 Stars	157,487	*				
1832 (P) Square Base 2, 13 Stars		*				
1833 (P)	193,630	*				
1834 (P) Plain 4	50,141	*				
1834 (P) Crosslet 4		*				

Classic Head

	Business	Proof	Grade	Date purchased	Amount paid	Notes
1834 (P) Plain 4	657,460	*				

	Business	Proof	Grade	Date purchased	Amount paid	Notes
1834 (P) Crosslet 4		*				
1835 (P)	371,534	*				
1836 (P)	553,147	*				
1837 (P)	207,121	*				
1838 (P)	286,588	*				
1838 D	20,583					
1838 C	19,145					

Coronet

	Business	Proof	Grade	Date purchased	Amount paid	Notes
1839 (P) No Motto	118,143	*				
1839 D	18,939					
1839 C	17,235					
1840 (P) Broad Mill	137,382	*				
1840 (P) Narrow Mill		*				
1840 D	22,896					
1840 O Broad Mill	38,700					
1840 O Narrow Mill						
1840 C	19,028					
1841 (P)	15,833	*				
1841 D	30,495					
1841 O	50					
1841 C	21,511					
1842 (P) Small Letters	27,578	*				
1842 (P) Large Letters		*				
1842 D Large Date, Large Letters	59,608					
1842 D Small Date, Small Letters						
1842 O	16,400					
1842 C Large Date	27,480					
1842 C Small Date						
1843 (P)	611,205	*				
1843 D	98,452					
1843 O Small Letters	101,075					
1843 O Large Letters						
1843 C	44,353					

	Business	Proof	Grade	Date purchased	Amount paid	Notes
1844 (P)	340,330	*				
1844 D	88,982					
1844 O	364,600	*				
1844 C	23,631					
1845 (P)	417,099	*				
1845 D	90,629					
1845 O	41,000					
1846 (P)	395,942	*				
1846 (P) Small Date						
1846 D	80,294					
1846 O	58,000					
1846 C	12,995					
1847 (P)	915,981	*				
1847 D	64,405					
1847 O	12,000					
1847 C	84,151					
1848 (P)	260,775	*				
1848 D	47,465					
1848 C	64,472					
1849 (P)	133,070					
1849 D	39,036					
1849 C	64,823					
1850 (P)	64,491					
1850 D	43,984					
1850 C	63,591					
1851 (P)	377,505					
1851 D	62,710					
1851 O	41,000					
1851 C	49,176					
1852 (P)	573,901					
1852 D	91,584					
1852 C	72,574					
1853 (P)	305,770					
1853 D	89,678					
1853 C	65,571					
1854 (P)	160,675					
1854 D	56,413					
1854 S	268					
1854 O	46,000					
1854 C	39,283					
1855 (P)	117,098	*				
1855 D	22,432					
1855 S	61,000					
1855 O	11,100					
1855 C	39,788					
1856 (P)	197,990	*				
1856 D	19,786					
1856 S	105,100					
1856 O	10,000					

	Business	Proof	Grade	Date purchased	Amount paid	Notes
1856 C	28,457					
1857 (P)	98,188	*				
1857 D	17,046					
1857 S	87,000					
1857 O	13,000					
1857 C	31,360					
1858 (P)	15,136	*				
1858 D	15,362					
1858 S	18,600					
1858 C	38,856					
1859 (P)	16,814	*				
1859 D	10,366					
1859 S	13,220					
1859 C	31,847					
1860 (P)	19,763	62				
1860 D	14,635					
1860 S	21,200					
1860 C	14,813					
1861 (P)	688,084	66				
1861 D	1,597					
1861 S	18,000					
1861 C	6,879					
1862 (P)	4,430	35				
1862 S	9,500					
1863 (P)	2,442	30				
1863 S	17,000					
1864 (P)	4,220	50				
1864 S	3,888					
1865 (P)	1,270	25				
1865 S	27,612					
1866 (P) With Motto	6,700	30				
1866 S No Motto	9,000					
1866 S With Motto	34,920					
1867 (P)	6,870	50				
1867 S	29,000					
1868 (P)	5,700	25				
1868 S	52,000					
1869 (P)	1,760	25				
1869 S	31,000					
1870 (P)	4,000	35				
1870 S	17,000					
1870 CC	7,675					
1871 (P)	3,200	30				
1871 S	25,000					
1871 CC	20,770					
1872 (P)	1,660	30				
1872 S	36,400					
1872 CC	16,980					
1873 (P) Closed 3	112,480	25				

	Business	Proof	Grade	Date purchased	Amount paid	Notes
1873 (P) Open 3						
1873 S	31,000					
1873 CC	7,416					
1874 (P)	3,488	20				
1874 S	16,000					
1874 CC	21,198					
1875 (P)	200	20				
1875 S	9,000					
1875 CC	11,828					
1876 (P)	1,432	45				
1876 S	4,000					
1876 CC	6,887					
1877 (P)	1,132	20				
1877 S	26,700					
1877 CC	8,680					
1878 (P)	131,720	20				
1878 S	144,700					
1878 CC	9,054					
1879 (P)	301,920	30				
1879 S	426,200					
1879 CC	17,281					
1880 (P)	3,166,400	36				
1880 S	1,348,900					
1880 CC	51,017					
1881 (P)	5,708,760	42				
1881 (P) /0						
1881 S	969,000					
1881 CC	13,886					
1882 (P)	2,514,520	48				
1882 S	969,000					
1882 CC	82,817					
1883 (P)	233,400	61				
1883 S	83,200					
1883 CC	12,958					
1884 (P)	191,030	48				
1884 S	177,000					
1884 CC	16,402					
1885 (P)	601,440	66				
1885 S	1,211,500					
1886 (P)	388,360	72				
1886 S	3,268,000					
1887 (P)		87				
1887 S	1,912,000					
1888 (P)	18,202	94				
1888 S	293,900					
1889 (P)	7,520	45				
1890 (P)	4,240	88				
1890 CC	53,800					
1891 (P)	61,360	53				

	Business	Proof	Grade	Date purchased	Amount paid	Notes
1891 CC	208,000					
1892 (P)	753,480	92				
1892 S	298,400					
1892 CC	82,968					
1892 O	10,000					
1893 (P)	1,528,120	77				
1893 S	224,000					
1893 CC	60,000					
1893 O	110,000					
1894 (P)	957,880	75				
1894 S	55,900					
1894 O	16,600					
1895 (P)	1,345,855	81				·
1895 S	112,000					
1896 (P)	58,960	103				
1896 S	155,400					
1897 (P)	867,800	83				
1897 S	354,000					
1898 (P)	633,420	75				
1898 S	1,397,400					
1899 (P)	1,710,630	99				
1899 S	1,545,000	*				
1900 (P)	1,405,500	230				
1900 S	329,000					
1901 (P)	615,900	140				
1901 S	3,648,000					
1901 S 1901/0						
1902 (P)	172,400	162				
1902 S	939,000					
1903 (P)	226,870	154				
1903 S	1,855,000					
1904 (P)	392,000	136				
1904 S	97,000					
1905 (P)	302,200	108				
1905 S	880,700					
1906 (P)	348,735	85				
1906 D	320,000					
1906 S	598,000					
1907 (P)	626,100	92				
1907 D	888,000					
1908 (P)	421,874					

Indian Head

	Business	Proof	Grade	Date purchased	Amount paid	Notes
1908 (P)	577,845	167				
1908 D	148,000					
1908 S	82,000					
1909 (P)	627,060	78				
1909 D	3,423,560					
1909 S	297,200					
1909 O	34,200					
1910 (P)	604,000	250				
1910 D	193,600					
1910 S	770,200					
1911 (P)	915,000	139				
1911 D	72,500					
1911 S	1,416,000					
1912 (P)	790,000	144				
1912 S	392,000					
1913 (P)	916,000	99				
1913 S	408,000					
1914 (P)	247,000	125				
1914 D	247,000					
1914 S	263,000					
1915 (P)	588,000	75				
1915 S	164,000					
1916 S	240,000					
1929 (P)	662,000					

Eagle

Capped Bust, Small Eagle

	Business	Proof	Grade	Date purchased	Amount paid	Notes
1795 (P) Small Eagle, 13 Leaves	5,583					
1795 (P) 9 Leaves						
1796 (P)	4,146					
1797 (P) Small Eagle	14,555					

Capped Bust, Heraldic Eagle

	Business	Proof	Grade	Date purchased	Amount paid	Notes
1797 (P) Heraldic Eagle						
1798 (P) /7 9X4 Stars	1,742					
1798 (P) /7 7X6 Stars						
1799 (P)	37,449					
1800 (P)	5,999					

	Business	Proof	Grade	Date purchased	Amount paid	Notes
1801 (P)	44,344					
1803 (P) Small Stars	15,017					
1803 (P) Large Stars						
1803 (P) 14 Reverse Stars						
1804 (P)	3,757					

Coronet

	Business	Proof	Grade	Date purchased	Amount paid	Notes
1838 (P) No Motto	7,200	*				
1839 (P) Old Portrait	38,248	*				
1839 (P) New Portrait						
1840 (P)	47,338	*				
1841 (P)	63,131	*				
1841 O	2,500					
1842 (P) Small Date	81,507	*				
1842 (P) Large Date						
1842 O	27,400					
1843 (P)	75,462	*				
1843 (P) Doubled Date						
1843 O	175,162					
1844 (P)	6,361	*				
1844 O	118,700	*				
1845 (P)	26,153	*				
1845 O	47,500					
1846 (P)	20,095	*				
1846 O	81,780					
1847 (P)	862,258	*				
1847 O	571,500					
1848 (P)	145,484	*				
1848 O	35,850					
1849 (P)	653,618					
1849 O	23,900					
1850 (P) Large Date	291,451					
1850 (P) Small Date						

	Business	Proof	Grade	Date purchased	Amount paid	Notes
1850 O	57,500					
1851 (P)	176,328					
1851 O	263,000					
1852 (P)	263,106					
1852 O	18,000	*				
1853 (P)	201,253					
1853 (P) /2						
1853 O	51,000	*				
1854 (P)	54,250					
1854 S	123,826					
1854 O Small Date	52,500					
1854 O Large Date						
1855 (P)	121,701	*				
1855 S	9,000					
1855 O	18,000					
1856 (P)	60,490	*				
1856 S	68,000					
1856 O	14,500					
1857 (P)	16,606	*				
1857 S	26,000					
1857 O	5,500					
1858 (P)	2,521	*				
1858 S	11,800					
1858 O	20,000					
1859 (P)	16,093	*				
1859 S	7,000					
1859 O	2,300					
1860 (P)	15,055	50				
1860 S	5,000					
1860 O	11,100					
1861 (P)	113,164	69				
1861 S	15,500					
1862 (P)	10,960	35				
1862 S	12,500					
1863 (P)	1,218	30				
1863 S	10,000					
1864 (P)	3,530	50				
1864 S	2,500					
1865 (P)	3,980	25				
1865 S	16,700					
1865 S Inverted 865/186						
1866 (P) Motto	3,750	30				
1866 S No Motto	8,500					
1866 S With Motto	11,500					
1867 (P)	3,090	50				
1867 S	9,000					
1868 (P)	10,630	25				
1868 S	13,500					
1869 (P)	1,830	25				

	Business	Proof	Grade	Date purchased	Amount paid	Notes
1869 S	6,430					
1870 (P)	3,990	35				
1870 S	8,000					
1870 CC	5,908					
1871 (P)	1,790	30				
1871 S	16,500					
1871 CC	8,085					
1872 (P)	1,620	30				
1872 S	17,300					
1872 CC	4,600					
1873 (P)	800	25				
1873 S	12,000					
1873 CC	4,543					
1874 (P)	53,140	20				
1874 S	10,000					
1874 CC	16,767					
1875 (P)	100	20				
1875 CC	7,715					
1876 (P)	687	45				
1876 S	5,000					
1876 CC	4,696					
1877 (P)	797	20				
1877 S	17,000					
1877 CC	3,332					
1878 (P)	73,780	20				
1878 S	26,100					
1878 CC	3,244					
1879 (P)	384,740	30				
1879 S	224,000					
1879 CC	1,762					
1879 O	1,500					
1880 (P)	1,644,840	36				
1880 S	506,250					
1880 CC	11,190					
1880 O	9,200					
1881 (P)	3,877,220	42				
1881 S	970,000					
1881 CC	24,015					
1881 O	8,350					
1882 (P)	2,324,440	44				
1882 S	132,000					
1882 CC	6,764					
1882 O	10,820					
1883 (P)	208,700	49				
1883 S	38,000					
1883 CC	12,000					
1883 O	800					
1884 (P)	76,890	45				
1884 S	124,250					

	Business	Proof	Grade	Date purchased	Amount paid	Notes
1884 CC	9,925					
1885 (P)	253,462	67				
1885 S	228,000					
1886 (P)	236,100	60				
1886 S	826,000					
1887 (P)	53,600	80				
1887 S	817,000					
1888 (P)	132,924	72				
1888 S	648,700					
1888 O	21,335					
1889 (P)	4,440	45				
1889 S	425,400					
1890 (P)	57,980	63				
1890 CC	17,500					
1891 (P)	91,820	48				
1891 CC	103,732					
1892 (P)	797,480	72				
1892 S	115,500					
1892 CC	40,000					
1892 O	28,688					
1893 (P)	1,840,840	55				
1893 S	141,350					
1893 CC	14,000					
1893 O	17,000					
1894 (P)	2,470,735	43				
1894 S	25,000					
1894 O	107,500					
1895 (P)	567,770	56				
1895 S	49,000					
1895 O	98,000					
1896 (P)	76,270	78				
1896 S	123,750					
1897 (P)	1,000,090	69				
1897 S	234,750					
1897 O	42,500					
1898 (P)	812,130	67				
1898 S	473,600					
1899 (P)	1,262,219	86				
1899 S	841,000					
1899 O	37,047					
1900 (P)	293,840	120				
1900 S	81,000					
1901 (P)	1,718,740	85				
1901 S	2,812,750					
1901 O	72,041					
1902 (P)	82,400	113				
1902 S	469,500					
1903 (P)	125,830	96				
1903 S	538,000					

	Business	Proof	Grade	Date purchased	Amount paid	Notes
1903 O	112,771					
1904 (P)	161,930	108				
1904 O	108,950					
1905 (P)	200,992	86				
1905 S	369,250					
1906 (P)	165,420	77				
1906 D	981,000	*				
1906 S	457,000					
1906 O	86,895					
1907 (P)	1,203,899	74				
1907 D	1,030,000					
1907 S	210,500					

Indian Head

	Business	Proof	Grade	Date purchased	Amount paid	Notes
1907 (P) Wire Rim, Periods	239,406					
1907 (P) Rolled Rim, Periods						
1907 (P) No Periods						
1908 (P) With Motto	341,370	116				
1908 (P) No Motto	33,500					
1908 D With Motto	836,500					
1908 D No Motto	210,000					
1908 S With Motto	59,850					
1909 (P)	184,789	74				
1909 D	121,540					
1909 S	292,350					
1910 (P)	318,500	204				
1910 D	2,356,640					
1910 S	811,000					
1911 (P)	505,500	95				
1911 D	30,100					
1911 S	51,000					
1912 (P)	405,000	83				
1912 S	300,000					

	Business	Proof	Grade	Date purchased	Amount paid	Notes
1913 (P)	442,000	71				
1913 S	66,000					
1914 (P)	151,000	50				
1914 D	343,500					
1914 S	208,000					
1915 (P)	351,000	75				
1915 S	59,000					
1916 S	138,500					
1920 S	126,500					
1926 (P)	1,014,000					
1930 S	96,000					
1932 (P)	4,463,000					
1933 (P)	312,500					

Double eagle

Coronet

	Business	Proof	Grade	Date purchased	Amount paid	Notes
1849 (P) Unique						
1850 (P)	1,170,261	*				
1850 O	141,000					
1851 (P)	2,087,155					
1851 O	315,000					
1852 (P)	2,053,026					
1852 O	190,000					
1853 (P)	1,261,326					
1853 O	71,000					
1854 (P)	757,899					
1854 S	141,468	*				
1854 O	3,250					
1855 (P)	364,666					
1855 S	879,675					
1855 O	8,000					
1856 (P)	329,878	*				
1856 S	1,189,780					
1856 O	2,250					
1857 (P)	439,375					
1857 S	970,500					
1857 O	30,000					
1858 (P)	211,714	*				
1858 S	846,710					
1858 O	35,250					
1859 (P)	43,597	*				
1859 S	636,445					
1859 O	9,100					
1860 (P)	577,611	59				
1860 S	544,950					
1860 O	6,600					
1861 (P)	2,976,387	66				

	Business	Proof	Grade	Date purchased	Amount paid	Notes
1861 (P) Paquet Reverse						
1861 S	768,000					
1861 S Paquet Reverse						
1861 O	17,741					
1862 (P)	92,098	35				
1862 S	854,173					
1863 (P)	142,760	30				
1863 S	966,570					
1864 (P)	204,235	50				
1864 S	793,660					
1865 (P)	351,175	25				
1865 S	1,042,500					
1866 (P)	698,745	30				
1866 S With Motto	722,250					
1866 S No Motto	120,000					
1867 (P)	251,015	50				
1867 S	920,750					
1868 (P)	98,575	25				
1868 S	837,500					
1869 (P)	175,130	25				
1869 S	686,750					
1870 (P)	155,150	35				
1870 S	982,000					
1870 CC	3,789					
1871 (P)	80,120	30				
1871 S	928,000					
1871 CC	17,387					
1872 (P)	251,850	30				
1872 S	780,000					
1872 CC	26,900					
1873 (P) Closed 3	1,709,800	25				
1873 (P) Open 3						
1873 S Closed 3	1,040,600					
1873 S Open 3						
1873 CC	22,410					
1874 (P)	366,780	20				
1874 S	1,214,000					
1874 CC	115,000					
1875 (P)	295,720	20				
1875 S	1,230,000					
1875 CC	111,151					
1876 (P)	583,860	45				
1876 S	1,597,000					
1876 CC	138,441					
1877 (P) TWENTY DOLLARS	397,650	20				
1877 S	1,735,000					
1877 CC	42,565					
1878 (P)	543,625	20				
1878 S	1,739,000					

	Business	Proof	Grade	Date purchased	Amount paid	Notes
1878 CC	13,180					
1879 (P)	207,600	30				
1879 S	1,223,800					
1879 CC	10,708					
1879 O	2,325					
1880 (P)	51,420	36				
1880 S	836,000					
1881 (P)	2,220	61				
1881 S	727,000					
1882 (P)	590	59				
1882 S	1,125,000					
1882 CC	39,140					
1883 (P)		92				
1883 S	1,189,000					
1883 CC	59,962					
1884 (P)		71				
1884 S	916,000					
1884 CC	81,139					
1885 (P)	751	77				
1885 S	683,500					
1885 CC	9,450					
1886 (P)	1,000	106				
1887 (P)		121				
1887 S	283,000					
1888 (P)	226,164	102				
1888 S	859,600					
1889 (P)	44,070	41				
1889 S	774,700					
1889 CC	30,945					
1890 (P)	75,940	55				
1890 S	802,750					
1890 CC	91,209					
1891 (P)	1,390	52				
1891 S	1,288,125					
1891 CC	5,000					
1892 (P)	4,430	93				
1892 S	930,150					
1892 CC	27,265					
1893 (P)	344,280	59				
1893 S	996,175					
1893 CC	18,402					
1894 (P)	1,368,940	50				
1894 S	1,048,550					
1895 (P)	1,114,605	51				
1895 S	1,143,500					
1896 (P)	792,535	128				
1896 S	1,403,925					
1897 (P)	1,383,175	86				
1897 S	1,470,250					

	Business	Proof	Grade	Date purchased	Amount paid	Notes
1898 (P)	170,395	75				
1898 S	2,575,175					
1899 (P)	1,669,300	84				
1899 S	2,010,300					
1900 (P)	1,874,460	124				
1900 S	2,459,500					
1901 (P)	111,430	96				
1901 S	1,596,000					
1902 (P)	31,140	114				
1902 S	1,753,625					
1903 (P)	287,270	158				
1903 S	954,000					
1904 (P)	6,256,699	98				
1904 S	5,134,175					
1905 (P)	58,919	90				
1905 S	1,813,000					
1906 (P)	69,596	94				
1906 D	620,250	*				
1906 S	2,065,750					
1907 (P)	1,451,786	78				
1907 D	842,250	*				
1907 S	2,165,800					

Saint-Gaudens

	Business	Proof	Grade	Date purchased	Amount paid	Notes
1907 (P) Arabic Numerals	361,667					
1907 (P) Roman Numerals, Extremely High Relief	11,250					
1907 (P) Roman Numerals, High Relief, Wire Rim						
1907 (P) Roman Numerals, High Relief, Flat Rim						
1908 (P) No Motto	4,271,551					
1908 (P) With Motto	156,258	101				
1908 D No Motto	663,750					

	Business	Proof	Grade	Date purchased	Amount paid	Notes
1908 D With Motto	349,500					
1908 S With Motto	22,000					
1909 (P)	161,215	67				
1909 (P) /8						
1909 D	52,500					
1909 S	2,774,925					
1910 (P)	482,000	167				
1910 D	429,000					
1910 S	2,128,250					
1911 (P)	197,250	100				
1911 D	846,500					
1911 S	775,750					
1912 (P)	149,750	74				
1913 (P)	168,780	58				
1913 D	393,500					
1913 S	34,000					
1914 (P)	95,250	70				
1914 D	453,000					
1914 S	1,498,000					
1915 (P)	152,000	50				
1915 S	567,500					
1916 S	796,000					
1920 (P)	228,250					
1920 S	558,000					
1921 (P)	528,500					
1922 (P)	1,375,500					
1922 S	2,658,000					
1923 (P)	566,000					
1923 D	1,702,250					
1924 (P)	4,323,500					
1924 D	3,049,500					
1924 S	2,927,500					
1925 (P)	2,831,750					
1925 D	2,938,500					
1925 S	3,776,500					
1926 (P)	816,750					
1926 D	481,000					
1926 S	2,041,500					
1927 (P)	2,946,750					
1927 D	180,000					
1927 S	3,107,000					
1928 (P)	8,816,000					
1929 (P)	1,779,750					
1930 S	74,000					
1931 (P)	2,938,250					
1931 D	106,500					
1932 (P)	1,101,750					
1933 (P) Not Issued	445,000					

American Eagle

1-ounce silver $1

	Business	Proof	Grade	Date purchased	Amount paid	Notes
1986 (S)	5,393,005					
1986 S		1,446,778				
1987 (S)	11,442,335					
1987 S		904,732				
1988 (S)	5,004,646					
1988 S		557,370				
1989 S		617,694				
1989 (S or W)	5,203,327					
1990 S		695,510				
1990 (S or W)	5,840,110					
1991 S		U				
1991 (S or W)	7,191,066					
1992 S		498,543				
1992 (S or W)	5,540,068					
1993 S						
1993 (S or W)						
1994 S						
1994 (S or W)						
1995 S						
1995 (S or W)						
1996 S						
1996 (S or W)						
1997 S						
1997 (S or W)						
1998 S						
1998 (S or W)						
1999 S						
1999 (S or W)						

	Business	Proof	Grade	Date purchased	Amount paid	Notes
2000 S						
2000 (S or W)						

Tenth-ounce gold $5

	Business	Proof	Grade	Date purchased	Amount paid	Notes
1986 (W)	912,609					
1987 (W)	580,266					
1988 P		143,881				
1988 (W)	159,500					
1989 P		84,647				
1989 (W)	264,790					
1990 P		99,349				
1990 (W)	210,210					
1991 P		U				
1991 (W)	165,200					
1992 P		64,874				
1992 (W)	209,300					
1993 P		U				
1993 (W)						
1994 P		U				
1994 (W)						
1995 P		U				
1995 (W)						
1996 P		U				
1996 (W)						
1997 P		U				
1997 (W)						
1998 P		U				
1998 (W)						
1999 P		U				
1999 (W)						
2000 P		U				
2000 (W)						

Quarter-ounce gold $10

	Business	Proof	Grade	Date purchased	Amount paid	Notes
1986 (W)	726,031					
1987 (W)	269,255					
1988 P		98,028				
1988 (W)	49,000					
1989 P		54,170				
1989 (W)	81,789					
1990 P		62,674				
1990 (W)	41,000					
1991 P		U				
1991 (W)	36,100					
1992 P		46,269				
1992 (W)	59,546					
1993 P		U				
1993 (W)						
1994 P		U				
1994 (W)						
1995 P		U				
1995 (W)						
1996 P		U				
1996 (W)						
1997 P		U				
1997 (W)						
1998 P		U				
1998 (W)						
1999 P		U				
1999 (W)						
2000 P		U				
2000 (W)						

Half-ounce gold $25

	Business	Proof	Grade	Date purchased	Amount paid	Notes
1986 (W)	599,566					
1987 P		143,398				
1987 (W)	131,255					
1988 P		76,528				
1988 (W)	45,000					
1989 P		44,798				
1989 (W)	44,829					
1990 P		51,636				
1990 (W)	31,000					

	Business	Proof	Grade	Date purchased	Amount paid	Notes
1991 P		U				
1991 (W)	24,100					
1992 P		40,976				
1992 (W)	54,404					
1993 P		U				
1993 (W)						
1994 P		U				
1994 (W)						
1995 P		U				
1995 (W)						
1996 P		U				
1996 (W)						
1997 P		U				
1997 (W)						
1998 P		U				
1998 (W)						
1999 P		U				
1999 (W)						
2000 P		U				
2000 (W)						

1-ounce gold $50

	Business	Proof	Grade	Date purchased	Amount paid	Notes
1986 (W)	1,362,650					
1986 W		446,290				
1987 (W)	1,045,500					
1987 W		147,498				
1988 (W)	465,500					
1988 W		87,133				
1989 (W)	415,790					

	Business	Proof	Grade	Date purchased	Amount paid	Notes
1989 W		54,570				
1990 (W)	373,210					
1990 W		62,401				
1991 (W)	243,100					
1991 W		U				
1992 (W)	275,000					
1992 W		44,826				
1993 (W)						
1993 W		U				
1994 (W)						
1994 W		U				
1995 (W)						
1995 W		U				
1996 (W)						
1996 W		U				
1997 (W)						
1997 W		U				
1998 (W)						
1998 W		U				
1999 (W)						
1999 W		U				
2000 (W)						
2000 W		U				

Commemoratives

	Net Mintage	Grade	Date purchased	Amount paid	Notes
Columbian Exposition half dollar					
1892	950,000				
1893	1,550,405				
Isabella quarter dollar					
1893	24,124				
Lafayette-Washington silver dollar					
1900	36,026				
Louisiana Purchase Exposition gold dollar					
1903 each type	17,375				
Lewis and Clark Exposition gold dollar					
1904	10,025				
1905	10,041				
Panama-Pacific Exposition half dollar					
1915-S	27,134				
Panama-Pacific Exposition gold dollar					
1915-S	15,000				
Panama-Pacific Exposition quarter eagle					
1915-S	6,749				
Panama-Pacific Exposition $50					
1915-S Round	483				
1915-S Octag.	645				
McKinley Memorial gold dollar					
1916	9,977				
1917	10,000				
Illinois Centennial half dollar					
1918	100,058				
Maine Centennial half dollar					
1920	50,028				
Pilgrim Tercentenary half dollar					
1920	152,112				
1921	20,053				
Missouri Centennial half dollar					
1921 2*4	5,000				
1921 No 2*4	15,428				
Alabama Centennial half dollar					
1921 2X2	6,006				
1921 No 2X2	59,038				
Grant Memorial half dollar					
1922 Star	4,256				
1922 No Star	67,405				
Grant Memorial gold dollar					
1922 Star	5,016				
1922 No Star	5,000				
Monroe Doctrine Centennial half dollar					
1923-S	274,077				
Huguenot-Walloon Tercentenary half dollar					
1924	142,080				
Lexington-Concord Sesquicentennial half dollar					
1925	162,013				

	Net Mintage	Grade	Date purchased	Amount paid	Notes
Stone Mountain half dollar					
1925	1,314,709				
California Diamond Jubilee half dollar					
1925-S	86,594				
Fort Vancouver Centennial half dollar					
1925	14,994				
American Independence Sesquicentennial half dollar					
1926	141,120				
American Independence Sesquicentennial quarter eagle					
1926	46,019				
Oregon Trail Memorial half dollar					
1926	47,955				
1926-S	83,055				
1928	6,028				
1933-D	5,008				
1934-D	7,006				
1936	10,006				
1936-S	5,006				
1937-D	12,008				
1938	6,006				
1938-D	6,005				
1938-S	6,006				
1939	3,004				
1939-D	3,004				
1939-S	3,005				
Vermont Sesquicentennial half dollar					
1927	28,162				
Hawaiian Sesquicentennial half dollar					
1928	10,000				
Maryland Tercentenary half dollar					
1934	25,015				
Texas Independence Centennial					
1934	61,463				
1935	9,996				
1935-D	10,007				
1935-S	10,008				
1936	8,911				
1936-D	9,039				
1936-S	9,055				
1937	6,571				
1937-D	6,605				
1937-S	6,637				
1938	3,780				
1938-D	3,775				
1938-S	3,814				
Daniel Boone Bicentennial half dollar					
1934	10,007				
1935	10,010				
1935-D	5,005				
1935-S	5,005				
1935 W/1934	10,008				

	Net Mintage	Grade	Date purchased	Amount paid	Notes
1935-D W/1934	2,003				
1935-S W/1934	2,004				
1936	12,012				
1936-D	5,005				
1936-S	5,006				
1937	9,810				
1937-D	2,506				
1937-S	2,506				
1938	2,100				
1938-D	2,100				
1938-S	2,100				
Connecticut Tercentenary half dollar					
25,018	$1.00				
Arkansas Centennial half dollar					
1935	13,012				
1935-D	5,005				
1935-S	5,006				
1936	9,660				
1936-D	9,660				
1936-S	9,662				
1937	5,505				
1937-D	5,505				
1937-S	5,506				
1938	3,156				
1938-D	3,155				
1938-S	3,156				
1939	2,104				
1939-D	2,104				
1939-S	2,105				
Arkansas-Robinson half dollar					
1936	25,265				
Hudson, N.Y., Sesquicentennial half dollar					
1935	10,008				
California-Pacific International Expo					
1935-S	70,132				
1936-D	30,092				
Old Spanish Trail half dollar					
1935	10,008				
Providence, R.I., Tercentenary					
1936	20,013				
1936-D	15,010				
1936-S	15,011				
Cleveland, Great Lakes Exposition half dollar					
1936	50,030				
Wisconsin Territorial Centennial half dollar					
1936	25,015				
Cincinnati Music Center half dollar					
1936	5,005				
1936-D	5,005				
1936-S	5,006				

	Net Mintage	Grade	Date purchased	Amount paid	Notes
Long Island Tercentenary half dollar					
1936	81,826				
York County, Maine, Tercentenary half dollar					
1936	25,015				
Bridgeport, Conn., Centennial half dollar					
1936	25,015				
Lynchburg, Va., Sesquicentennial half dollar					
1936	20,013				
Elgin, Ill., Centennial half dollar					
1936	20,015				
Albany, N.Y., half dollar					
1936	17,671				
San Francisco-Oakland Bay Bridge half dollar					
1936-S	71,424				
Columbia, S.C., Sesquicentennial half dollar					
1936	9,007				
1936-D	8,009				
1936-S	8,007				
Delaware Tercentenary half dollar					
1936	20,993				
Battle of Gettysburg half dollar					
1936	26,928				
Norfolk, Va., Bicentennial half dollar					
1936	16,936				
Roanoke Island, N.C., half dollar					
1937	29,030				
Battle of Antietam half dollar					
1937	18,028				
New Rochelle, N.Y., half dollar					
1938	15,266				
Iowa Statehood Centennial half dollar					
1946	100,057				
Booker T. Washington half dollar					
1946	?				
1946-D	?				
1946-S	?				
1947	?				
1947-D	?				
1947-S	?				
1948	8,005				
1948-D	8,005				
1948-S	8,005				
1949	6,004				
1949-D	6,004				
1949-S	6,004				
1950	6,004				
1950-D	6,004				
1950-S	?				
1951	?				
1951-D	7,004				
1951-S	7,004				

	Net Mintage	Grade	Date purchased	Amount paid	Notes
Booker T. Washington/George Washington Carver					
1951	110,018				
1951-D	10,004				
1951-S	10,004				
1952	2,006,292				
1952-D	8,006				
1952-S	8.006				
1953	8,003				
1953-D	8,003				
1953-S	108,020				
1954	12,006				
1954-D	12,006				
1954-S	122,024				
George Washington half dollar					
1982-D	2,210,458				
1982-S	4,894,044				
Los Angeles Olympic Games silver dollar					
1983-P Unc.	294,543				
1983-D Unc.	174,014				
1983-S Unc.	174,014				
1983-S Proof	1,577,05				
Los Angeles Olympic Games silver dollar					
1984-P Unc.	217,954				
1984-D Unc.	116,675				
1984-S Unc.	116,675				
1984-S Proof	1,801,210				
Los Angeles Olympic Games gold eagle					
1984-P Proof	33,309				
1984-D Proof	34,533				
1984-S Proof	48,551				
1984-W Proof	381,085				
1984-W Unc.	75,886				
Statue of Liberty, Immigrant half dollar					
1986-D Unc.	928,008				
1986-S Proof	6,925,627				
Statue of Liberty, Ellis Island dollar					
1986-P Unc.	723,635				
1986-S Proof	6,414,638				
Statue of Liberty half eagle					
1986-W Unc.	95,248				
1986-W Proof	404,013				
Constitution Bicentennial silver dollar					
1987-P Unc.	451,629				
1987-S Proof	2,747,116				
Constitution Bicentennial half eagle					
1987-W Unc.	214,225				
1987-W Proof	651,659				
1988 Olympic Games silver dollar					
1988-D Unc.	191,368				
1988-S Proof	1,359,366				

	Net Mintage	Grade	Date purchased	Amount paid	Notes
1988 Olympic Games gold half eagle					
1988-W Unc.	62,913				
1988-W Proof	281,465				
Congress Bicentennial half dollar					
1989-D Unc.	163,753				
1989-S Proof	767,897				
Congress Bicentennial silver dollar					
1989-D Unc.	135,203				
1989-S Proof	762,198				
Congress Bicentennial half eagle					
1989-W Unc.	46,899				
1989-W Proof	164,690				
Eisenhower Birth Centennial silver dollar					
1990-W Unc.	241,669				
1990-P Proof	1,144,461				
Mount Rushmore 50th Anniversary half dollar					
1991-D Unc.	172,754				
1991-S Proof	753,257				
Mount Rushmore 50th Anniversary silver dollar					
1991-P Unc.	133,139				
1991-S Proof	738,419				
Mount Rushmore 50th Anniversary half eagle					
1991-W Unc.	31,959				
1991-W Proof	111,991				
Korean War Memorial silver dollar					
1991-D Unc.	213,049				
1991-P Proof	618,488				
USO 50th Anniversary silver dollar					
1991-D Unc.	124,958				
1991-S Proof	321,275				
1992 Olympics clad half dollar					
1992-P Unc.	161,607				
1992-S Proof	519,645				
1992 Olympics silver dollar					
1992-D Unc.	187,552				
1992-S Proof	504,505				
1992 Olympic gold half eagle					
1992-W Unc.	27,732				
1992-W Proof	77,313				
White House Bicentennial silver dollar					
1992-D Unc.	123,803				
1992-W Proof	375,851				
Columbus Quincentenary clad half dollar					
1992-D Unc.	135,702				
1992-S Proof	390,154				
Columbus Quincentenary silver dollar					
1992-D Unc.	106,949				
1992-P Proof	385,241				
Columbus Quincentenary half eagle					
1992-W Unc.	24,329				
1992-W Proof	79,730				

	Net Mintage	Grade	Date purchased	Amount paid	Notes
Bill of Rights/Madison silver half dollar					
1993-W Unc.	Pending				
1993-S Proof	Pending				
Bill of Rights/Madison silver dollar					
1993-D Unc.	Pending				
1993-S Proof	Pending				
Bill of Rights/Madison gold $5 half eagle					
1993-W Unc.	Pending				
1993-W Proof	Pending				
World War II 50th Anniversary clad half dollar					
1991-1995-P Unc. (1993)					
1991-1995-S Proof (1993)					
World War II 50th Anniversary silver dollar					
1991-1995-D Unc. (1993)					
1991-1995-W Proof (1993)					
World War II 50th Anniversary gold $5 half eagle					
1991-1995-W Unc. (1993)					
1991-1995-W Proof (1993)					
Thomas Jefferson 250th Anniversary silver dollar					
1743-1993-P Unc. (1994)					
1743-1993-S Proof (1994)					
World Cup Soccer clad half dollar					
1994-D Unc.					
1994-P Proof					
World Cup Soccer silver dollar					
1994-D Unc.					
1994-S Proof					
World Cup Soccer gold $5 half eagle					
1994-W Unc.					
1994-W Proof					
Prisoner of War silver dollar					
1994-W Unc.					
1994-P Proof					
Vietnam Veterans Memorial silver dollar					
1994-W Unc.					
1994-P Proof					
Women in Military Service silver dollar					
1994-W Unc.					
1994-P Proof					
U.S. Capitol Bicentennial silver dollar					
1994-D Unc.					
1994-S Proof					

	Net Mintage	Grade	Date purchased	Amount paid	Notes

Proof sets

	Net Mintage	Grade	Date purchased	Amount paid	Notes
1950	51,386				
1951	57,500				
1952	81,980				
1953	128,800				
1954	233,300				
1955	378,200				
1956	669,384				
1957	1,247,952				
1958	875,652				
1959	1,149,291				
1960	1,691,602				
1961	3,028,244				
1962	3,218,019				
1963	3,075,645				
1964	3,950,762				
Production suspended during 1965, 1966, 1967					
1968	3,041,506				
1969	2,934,631				
1970	2,632,810				
1971	3,220,733				
1972	3,260,996				
1973	2,760,339				
1974	2,612,568				
1975	2,845,450				
1976	4,123,056				
1977	3,236,798				
1978	3,120,285				
1979	3,677,175				
1980	3,554,806				
1981	4,063,083				
1982	3,857,479				
1983	3,138,765				
1983 Prestige	140,361				
1984	2,748,430				
1984 Prestige	316,680				
1985	3,362,821				
1986	2,411,180				
1986 Prestige	599,317				
1987	3,356,738				
1987 Prestige	435,495				
1988	3,031,287				
1988 Prestige	231,661				
1989	3,009,107				
1989 Prestige	211,807				
1990	2,793,433				
1990 Prestige	506,126				

	Net Mintage	Grade	Date purchased	Amount paid	Notes
1991	2,610,833				
1991 Prestige	256,954				
1992	2,675,618				
1992 Prestige	183,285				
1992 Silver	1,009,586				
1992 Premier	308,055				
1993					
1993 Prestige					
1993 Silver					
1993 Premier					
1994					
1994 Prestige					
1994 Silver					
1994 Premier					
1995					
1995 Prestige					
1995 Silver					
1995 Premier					
1996					
1996 Prestige					
1996 Silver					
1996 Premier					
1997					
1997 Prestige					
1997 Silver					
1997 Premier					
1998					
1998 Prestige					
1998 Silver					
1998 Premier					
1999					
1999 Prestige					
1999 Silver					
1999 Premier					
2000					
2000 Prestige					
2000 Silver					
2000 Premier					

40% silver clad dollar sets

Struck in San Francisco				Date	Amount	
	Unc.	Proof	Grade	purchased	paid	Notes
1971	6,868,530	4,265,234				
1972	2,193,056	1,811,631				
1973	1,883,140	1,013,646				
1974	1,900,156	1,306,579				

Special Mint Sets

	Net Mintage	Grade	Date purchased	Amount paid	Notes
1965	2,360,000				
1966	2,261,583				
1967	1,863,344				

Uncirculated sets

	Net Mintage	Grade	Date purchased	Amount paid	Notes
1947	12,600				
1948	17,000				
1949	20,739				
1951	8,654				
1952	11,499				
1953	15,538				
1954	25,599				
1955	49,656				
1956	45,475				
1957	34,324				
1958	50,314				
1959	187,000				
1960	260,485				
1961	223,704				
1962	385,285				
1963	606,612				
1964	1,008,108				
1965	2,360,000				
1966	2,261,583				
1967	1,863,344				
1968	2,105,128				
1969	1,817,392				
1970	2,038,134				

Description	Net Mintage	Grade	Date purchased	Amount paid	Notes
1971	2,193,396				
1972	2,750,000				
1973	1,767,691				
1974	1,975,981				
1975	1,921,488				
1976	1,892,513				
1977	2,006,869				
1978	2,162,609				
1979	2,526,000				
1980	2,815,066				
1981	2,908,145				
1984	1,832,857				
1985	1,710,571				
1986	1,153,536				
1987	2,890,758				
1988	1,447,100				
1989	1,987,915				
1990	1,809,184				
1991	1,352,101				
1992	1,500,098				
1993					
1994					
1995					
1996					
1997					
1998					
1999					
2000					

Bicentennial sets

	Net Mintage	Grade	Date purchased	Amount paid	Notes
Proof	3,998,621				
Uncirculated	4,908,319				